CHRYSALIDE

Antonio Dikele Distefano

PRIMA O POI
CI ABBRACCEREMO

#POPCA

MONDADORI

www.mondichrysalide.it

Per la graphic novel: Nahom Tito

Per il rivestimento: foto © 36clicks/123RF

ISBN 978-88-04-66118-4

PRIMA O POI CI ABBRACCEREMO

Alla mia famiglia
A chi non ha una madre
A mia madre

"Io penso che tutti nella vita possano chiedere di più, ma non lo fanno per paura di morire così."

RINO GAETANO

"L'histoire de mon peuple est triste."

BOOBA

DAUGHTER, "YOUR KISSES" ▶ PLAY

2 OTTOBRE

Regionale veloce 2122
Carrozza 2 posto 64
Ho le mani libere
Uno zaino leggero sulle spalle
e una cosa per te

Io molte cose le dicevo per scherzo, per farti ridere: "Se ti diplomi con più di novanta, andiamo al mare, e se ti va restiamo lì tutta la notte a guardare le stelle". Tu mi prendevi sul serio. Eri uscita da quel liceo che odiavi tanto con novantuno. Quella mattina chiamasti me per primo. Io quelle parole non ricordavo nemmeno di averle pronunciate mentre tu ti aspettavi che mantenessi la promessa.

POI NON CI SIAMO PARLATI PIÙ

Sono sul treno per Milano.

Arriverò tra un paio d'ore.

Il regionale è il mezzo più economico per raggiungerti a quest'ora.

È un anno che non ti fai vedere e quando torni in provincia ti sottrai alle piazze dove puoi incontrarmi.

Ho passato un anno stazionario nello stesso sbaglio.

Di baci sulla fronte e amicizie pallide con cui parlare di te.

Sono stato male e immagino che tu non te lo sia mai chiesto.

L'ultima volta che ci siamo visti, hai fatto finta di non vedermi, spostando lo sguardo.

L'ho spostato anch'io.

Per un attimo ho avuto paura di ciò che sarebbe potuto accadere.

Mi hai guardato quanto bastava. Come tutte le volte prima, dopo che ti ho lasciata.

Che poi il problema non è stato lasciarsi ma lasciarsi andare, dopo.

Non è stato uscire, ma uscirne.

Il problema è chi ti è dentro, chi ti fa pesare il respiro appena ti affacci fuori. Chi ti ricorda che la felicità è sopravvalutata perché in fondo dura solo un attimo.

Io l'ho capito mentre tu dicevi in giro che non provavi più nulla per noi e invece provavi rancore per me. Facevi la lista delle cose che non volevi più sopportare e facevi il mio nome.

"Mi va bene tutto, basta che non sia come Enrico."

Ho creduto che mentissi quella sera.

Che per pura prevenzione avessi risposto "comunque anche io" al mio messaggio "ti devo parlare" perché non volevi sembrare in difficoltà.

"Dieci minuti e sono lì, scendi così non suono, ok?"

E con la tua politica del "visualizzo ma rispondo più tardi" mi hai lasciato in ballo ancora una volta.

Ti facesti trovare sotto casa tua.

Tornavo dal lavoro e senza passare da casa decisi che sarei venuto da te. Mi aspettavi seduta sul cofano di una macchina, fissavi la finestra di camera tua, fumavi.

Le spegnevi subito le sigarette quando mi vedevi, le gettavi a terra e mi venivi incontro.

Quella sera no, la fumasti fino al filtro in segno di sfida.

Mi guardavi dritto negli occhi mentre io mi ripetevo in testa le frasi che mi ero preparato la notte prima.

E pensare che finché siamo stati insieme senza mancarci, certe cose non ci spaventavano per niente.

Dopo quel giorno, non ci siamo più parlati, ci siamo solo detti delle cose, senza raccontare.

Un poi non c'è stato più.

La nostra è stata una battaglia persa, come il voi al posto del lei.

"Per me è finita" ti ho detto "perché non possiamo continuare così. Non sei migliore di me come credi."

Incrociando le braccia al petto, senza esitare, hai replicato "volevo dirti la stessa cosa. Da un po' non sei più tu. Ed evita di dire le tue frasi del cazzo, tanto non credo più a nulla...".

Sembravi sincera e te ne sei andata perché non avevi più nulla da dire, lasciandomi all'ingresso, come le prime volte che ti accompagnavo a casa.

Poi non ci siamo parlati più, poi le sigarette le hai fumate tutte fino al filtro quando mi hai incontrato.

TU PER ME NON SEI NESSUNO

L'ultima volta che ti ho vista è stato a ferragosto.
Eravamo sulla spiaggia. In compagnie diverse e a debita distanza.
Vestiti pesanti perché ogni anno, il quindici di agosto, qui piove.
Non so che ore fossero, ma era notte.
E tra i rumori di sorrisi spontanei di chi non si vedeva da un po', qualche fuoco, il fiato del mare, l'odore di bruciato e i silenzi contrari tra le tende montate male, io mi aspettavo di trovarti, lì in mezzo a quei volti che a settembre sarebbero ripartiti, imboccando l'autostrada.
Quando inizia il freddo, scappano tutti da qui.
Tornano a casa dal mare e il mare non è la casa di nessuno.
Settembre fa da sfollagente.
Il mare d'inverno si mangia la sabbia e i villeggianti vanno a passeggiare altrove.
Tornano nelle loro città, alle loro vite, ai loro camici e ruoli, dov'è possibile immaginare le spiagge d'inverno.
Dove possono dire che è bello e vorrebbero esserci.
Qui non è possibile.
Perché il vento ti ricorda che il mare c'è, anche se non vai più a trovarlo.
Ti ricorda quant'è triste senza le persone.

18

Circondato di sabbia e disperazione.

Quella è stata davvero l'ultima volta che ti ho visto, perché poi sei partita senza dire nulla.

L'ho scoperto su Facebook che ti eri trasferita a Milano perché qui soffocavi.

Tu, che dicevi "il male dei social network è il fatto che passiamo la nostra vita a dimostrare che ne abbiamo una. La vita non è Facebook. Nella vita bisogna aspirare a essere per pochi".

"Irene non ti ha detto nulla?" mi ha chiesto tua sorella quando l'ho incontrata. "Ora vive a Milano con Manuel. È lì da due settimane" e quando ha capito dal mio sguardo che non me ne avevi parlato, mi ha posato una mano sulla spalla come a scusarsi.

Era come se il centro del mondo si fosse spostato con te.

È come se il centro del mondo si fosse spostato con te.

Milano estirpa gli affetti importanti, ti ho scritto, commentando su Instagram una foto di qualche anno prima, in modo che potessi leggere solo tu.

Ma una tua risposta non c'è stata.

Che quando caricavo una foto, dopo aver scritto una didascalia, sotto la scritta *condividi* cercavo sempre l'opzione *con te*, ma non c'era, e allora poi cliccavo su Facebook come fanno tutti, pensando "magari lo vede", dimenticando che non ti avevo tra gli amici e che forse noi non lo eravamo mai stati.

Gli amici ti ascoltano anche se ti urlano addosso.

Tu mi urlavi addosso "ti sto ascoltando!".

Non sei tu che mi manchi, ma io che non ci sono, che sono talmente strano che ho sorriso quella volta che mi hai scritto "tu per me non sei più nessuno".

Perché quando mi scrivevi "non ci sono per nessuno" era come se "Nessuno" fosse il nome che mi attribuivi nei momenti di sconforto.

SIAMO CONSEGUENZE

C'eri e ti distinguevi benissimo.

Quel quindici agosto eri sorpresa nel vedermi, perché pensavi che fossi chiuso in casa.

Pensavi fossi rimasto in camera mia a guardarmi un film o in cucina a discutere con mio padre di quanto sono diverso dai miei coetanei.

Lui alla mia età era il contrario di me.

Era circondato da strette di mano energiche, partite di calcio e locali dove si fa la fila per entrare.

S'innamorava e dimenticava con la luce del sole.

La Sampdoria era la sua unica passione.

Quando papà mi raccontava le sue esperienze per confrontarsi con me a tavola, tu gli davi ragione e mi dava fastidio.

Non mi piaceva quel modo di scherzare.

Parlavi di me, davanti a lui, come si parla dei ragazzi che non si godono la vita.

Mio padre non ti stava simpatico, ma facevi il suo gioco.

Fingevo di ridere quando mi rimproveravate. Papà è sempre stato un uomo serio e severo con me, di poche parole, mai un "bravo", mai un "ti voglio bene", mai un "domenica tieniti libero che usciamo", sempre e solo "puoi fare di più".

Papà mi deve tanti sguardi, tanti "ho sbagliato io", un'infinità di "per favore".

La nostra è sempre stata una convivenza silenziosa, fatta di precari equilibri, di rientri a casa dove i discorsi finiscono come sono iniziati.

Non so come comportarmi con lui, le sue risposte brevi e il suo sguardo che non si stacca dalla televisione mentre gli parlo non mi hanno mai aiutato ad avvicinarmi.

È strano come pure chi ti ha messo al mondo stenti a capirti.

Durante i giorni di festa però un po' cambiava.

Complice l'alcol.

Accennava qualche sorriso, qualche frase d'affetto, qualche pacca sulla spalla e io mi sentivo a disagio, perché il nostro rapporto era incerto come i sorrisi che si fanno nelle foto di classe.

Io non conosco il calore del suo corpo.

Tra uomini non ci si tocca.

Mi ha cresciuto così.

Con sguardi di disapprovazione e silenzi che volevano dire "vai in camera tua".

Non ho mai provato rancore, solo affetto, nonostante tutto. Anche quando di fronte ad altri mi chiedeva indirettamente di essere migliore di lui.

Anche quando credeva che per fare il padre bastava tagliarmi una mela.

Le persone vanno ascoltate quando stanno in silenzio, vanno guardate mentre dormono, aiutate quando si sentono invincibili.

E nella mia adolescenza questo non l'ho mai capito, non l'ho mai imparato da quell'uomo che mi cercava quando non sapeva che fingevo di dormire.

Poi ha smesso di farlo.

Ero cresciuto e per i suoi schemi non avevo più bisogno di attenzioni.

"Costruire mura in tempo di pioggia non è d'aiuto al sole" la zia diceva così.

Ci sono persone che sono così a causa di altre, perché le montagne cambiano forma perdendo i pezzi, l'acqua scava la roccia nelle stagioni, durante gli inverni lontani dal mare.

La materia diventa altra materia.

Siamo conseguenze.

Ci sono persone che piangono per te davanti a nessuno e che per nessuno hanno pianto davanti a te, che ti cambiano la vita per sempre e ci sono adesso.

Ci sono parchi, balconi, edifici che notiamo solo dopo tanto tempo che ci guardiamo attorno, che passiamo di lì. E io mentre rileggo i nostri messaggi mi accorgo che non ti ho mai ascoltata.

Ero convinto che se ero così scontroso con te era perché assomigliavo a mio padre.

Un figlio d'arte.

Ma lui mamma l'ha amata senza pietà, finché ha potuto.

Poi sono arrivato io e non so cos'è cambiato, non me l'hanno detto mai.

Non l'ho mai chiesto.

Come quella frase che dice "per scuotere un cuore che ha sofferto ci vuole il doppio dell'amore che hai perso", che per me è una menzogna. Perché io ne ho incontrate tante di autostazioni, province, mani, persone dopo di te, e ti giuro che a me sarebbe bastato anche solo la metà di ciò che mi hai dato e tolto, mentre sfido chiunque ad amarti due volte di più di quanto ho fatto io.

Che nemmeno ti ricordi, come ti osservavo, mentre ti guardavi allo specchio, mentre provavo a pisciare nel bagno del Frecciabianca, dov'era difficile restare in equilibrio.

E pensavo che quel posto somigliava tantissimo alle nostre vite.

Perché era per uno, ma ci si stava in due.
"Perché mi guardi?" mi chiedesti, parlando al mio riflesso nello specchio.
"Sarebbe un peccato non vederti" risposi.

AVEVI GRANDI PROGETTI
E MANI PICCOLE

Quella notte non ti aspettavi di trovarmi sulla spiaggia, perché detesto il mare e te lo ricordavo ogni volta che mi chiedevi di accompagnarti perché altrimenti saresti rimasta da sola.

Le tue amiche avevano i fidanzati che le aspettavano lì.

E me lo dicevi come se io non ti avessi mai aspettata.

Ma per tutto il tempo, prima che piombassi nella mia vita, non avevo fatto altro.

Volevo una storia diversa io, nient'altro.

Dove nessuno si aspetta.

Dove "ci vediamo?" è "vediamoci".

Quella sera mi hai guardato un attimo e poi hai ripreso subito a parlare.

Voltandoti con calma.

Volevi far intendere che la vostra conversazione era più importante di me.

Eri diversa, ma le bugie restavano le stesse.

Capivo subito quando mentivi e volevi evitare qualcuno.

Il mare faceva rumore, scuoteva gli animi.

Mia madre diceva sempre che il mare è affascinante e colmo di significati.

Lei, quando poteva, andava sempre a trovarlo.

24

L'odore di alghe, le impronte dei piedi sulla sabbia, tu.

Eravamo scesi alla prima fermata, la prima volta che siamo stati al mare insieme, tu avevi i capelli così corti che ti si vedevano le orecchie, i nostri zaini troppo grandi e il nostro passo che affondava sulla sabbia. Correvi, poi eri finita per terra ed eri scoppiata in una bellissima risata con le mani sullo stomaco e il tuo cuore al posto del mio.

Faceva troppo caldo per essere aprile, eri così felice che ti guardavi alle spalle per vedere se restava il segno, perché ti sentivi leggera.

Avevamo saltato la scuola e preso un autobus che d'estate non è così desolato. Seduti negli ultimi posti, mentre i paesaggi dietro il vetro si mangiavano gli edifici, tu ridevi.

Avevi un sorriso abbastanza forte da proteggerti.

Avevi grandi progetti e mani piccole.

Io non sentivo il peso dell'ambizione.

Quando hai quello che vuoi adesso, che t'importa del domani?

C'eravamo solo noi in quel lido, insieme a qualche passante con il cane e qualche operaio che lavorava ai pali della luce danneggiati dalle raffiche di vento.

Il tempo si era messo contro di noi e ci andava bene così, perché non passava mai.

"Ci torniamo vero?" mi chiedesti prima di risalire sull'autobus, spostandoti i capelli dalla fronte.

Stavamo tornando a casa presto perché dovevamo fingere di essere rientrati da scuola.

Risposi "sì, se prendi più di novanta, restiamo pure a guardare le stelle".

BASTA VOLER STARE INSIEME
PER RIUSCIRCI

"Pronto?" dissi con una voce piena di sonno.

"Ohi, stai dormendo?"

Erano le nove e mezza di una mattina d'estate. Al telefono sembravi emozionata, respiravi a fatica.

"Sono le nove del mattino, sì che dormo, dimmi tutto" risposi sorpreso.

"Sono fuori da scuola, sono venuta a vedere i risultati e ho preso novantuno, Enri, ho preso novantuno. Non ci credo che ho preso novantuno."

Stavi piangendo, eri felice, avevi chiamato me per primo.

E io non me lo dimentico, perché sei sempre stata tu a dimenticarmi.

Come adesso che sono in treno per venire da te e tu non lo sai. Non mi stai pensando, non stai ricordando questi momenti e per questo te li voglio portare. Io la nostra storia l'ho scritta sulla mia pelle. La vedo ogni volta che mi guardo allo specchio.

Tu, quand'è stata l'ultima volta che mi hai guardato veramente?

Facciamo che domani, appena arrivo a Milano e ti vedo, riprendiamo subito il treno e torniamo al mare.

Andiamo a Genova.

E facciamo come dicevi tu, ci prendiamo una pausa.

Una tregua dal dolore.

Facciamo che non mi manchi e che tu mi pensi senza che qualcuno ti chieda di me.

Facciamo che di notte dormo, che quando vai torni, che separiamo i sentimenti dalla polvere, come si fa con le scarpe che lasci all'ingresso per non rovinare il parquet.

Almeno per una volta, facciamo che chi ama resta, e non che chi ama resta da solo.

Che ti troverò ancora sotto casa ad aspettarmi, con la sigaretta in mano che non accendi perché sai che mi dà fastidio.

Facciamo che, anche se tutto sembrerà uguale a sempre, tu sarai diversa, che domani io dimentico i tuoi errori e tu i miei difetti.

Cambiamo i nostri sistemi, non i sentimenti.

Facciamo che non dobbiamo fare la pace perché non c'è mai stata guerra.

Che non c'è mai stato nulla.

Facciamo che andiamo via da questa città, come due sconosciuti, due che non si conoscono, chiusi nello stesso abitacolo, che se magari non ti piaccio e non ti vado bene, puoi mandarmi pure a fare in culo, ma tanto io non ti amo.

Facciamo così, ti va?

Noi non siamo mai riusciti a definirci.

Un giorno amici, il giorno dopo fidanzati.

Rientravo a casa la sera e mi scrivevi che si ricominciava da capo, che ti serviva tempo.

Di nuovo amici.

Ma di nuovo non c'era nulla.

E cercavo di sopportare tutto senza scoppiare in lacrime.

A volte trovavo il coraggio e rispondevo a quei messaggi chiedendoti di lasciarmi stare, consapevole che senza te non sapevo essere, ma che bisognava andare avanti comunque.

Che non si muore quando decidono di sostituirti.

Nessun arbitro si metteva in mezzo per separarci quando potevamo farci davvero male.

In mezzo si metteva la vita, con i gomiti alti e i domani incerti.

Oggi ho smesso di credere a chi chiede del tempo per pensare, a chi lascia intendere e non si esprime chiaramente.

A chi ti vuole, ma vuole anche stare da solo.

Non permetterò più a nessuno di mettermi da parte come un oggetto non funzionante per poi riprendermi con baci a tradimento e messaggi all'una di notte, perché la verita è una: basta voler stare insieme per riuscirci.

"Ho paura, paura di non volerlo, perché semplicemente non mi voglio, non è colpa tua, è che mi serve del tempo per capire cos'è meglio per me. Scusami, Enri, ci sentiamo presto."

2 OTTOBRE

Regionale veloce 2122
Carrozza 2 posto 64
Ritardo: 5′

A metà giornata passavamo sempre dal tabaccaio. Compravi le sigarette la mattina e poco dopo pranzo te ne restavano poche. Dicevi che ti riempivano lo stomaco.

"Il giorno che smetterò sarà quando sarò guarita."

Io non le capivo tutte le cose che mi dicevi.

WINSTON BLU

Il treno non è ancora partito.

Ha qualche minuto di ritardo ed è fermo sul binario.

Molto probabilmente si riempirà, perché c'è la fila per salire e in molti, un po' ansiosi, con il biglietto in mano, stanno chiedendo al controllore se questo è il treno che devono prendere.

Come bambini intorno alla maestra, il giorno della gita, prima della partenza.

Io da piccolo non ero un amante delle gite.

Stare in fila, far aspettare le macchine, noi sulle strisce pedonali.

Non potersi muovere.

Vedere qualcosa che ti piace e non potersi fermare.

Non poterla toccare.

Come quel quindici di agosto.

Quella di perdere il treno, credo sia una delle più grandi paure dell'essere umano. Ci comportiamo come se non ne passassero altri, sarà a causa di quelle metafore sulla vita che a dirla tutta condizionano tanto anche me.

Qualcuno ha approfittato del ritardo ed è sceso a fumare.

Io rimango al mio posto e ispeziono tutto dal finestrino.

Ho poche sigarette.

Meglio così.

Meglio che resti qui.

Devo smettere di fumare.

Prima o poi.

Tu dicevi che avresti smesso in gravidanza, che se il figlio l'avessi avuto con me, avrei dovuto smettere anche io, perché quell'odore resta sui muri e a un certo punto nella vita bisogna preferire il profumo al fumo.

Io nostra figlia avrei voluto chiamarla "Sarai".

Verbo essere.

Parlavi di come avresti voluto arredare quella nostra casa che passavi il tempo a immaginare.

Nelle case degli altri ti guardavi attorno curiosa e ti appropriavi con l'immaginazione di mobili che poi sarebbero dovuti finire nel nostro appartamento.

Con la doccia in mezzo alla camera da letto e le gigantografie delle nostre mani che si toccano in salotto.

Volevi riempire i muri di poesie e frasi rubate dalle canzoni. Dicevi che, siccome nessuno di noi sapeva cucinare, la cucina non ci sarebbe servita, perché avremmo mangiato sempre fuori, e che quindi avremmo comprato un appartamento nel centro storico.

Volevi diventare dottoressa, io non lo so, ma qualcosa volevo diventare e i primi mesi, dopo la fine della scuola, ne parlammo spesso.

Volevo prendermi un anno sabbatico e tu dicevi che gli anni non tornano indietro, che mi sarei pentito e avrei deluso mia madre.

"Se rimango incinta, smetto di fumare."

Giocavi con il pacchetto vuoto e tenevi l'ultima sigaretta spenta in bocca.

"Lo dici solo perché oggi stai esagerando, sarà la sesta che fumi" risposi fissando il pacchetto che stavi accartocciando.

"Hai ragione, questa è l'ultima."

"Parli della sigaretta o della nostra storia d'amore?"

chiesi mentre con un gesto veloce tu gettavi lontano quello che rimaneva del pacchetto.

Sorridevi che quasi ti cadeva la sigaretta dalle labbra. "Sei uno stupido."

Io, la prima sigaretta che non si aspira l'ho fumata fuori da scuola, per curiosità. Non mi convinse nessuno. Chiesi a un compagno di classe che stava fumando se mi lasciava un tiro.

Marlboro Light.

Il sapore non mi piacque. La verità è che ne rimasi disgustato, ma lo facevano tutti e volevo capire perché. Molti tossivano. Assumevano una voce nasale.

Per una settimana, scroccai ogni giorno un tiro al mio compagno, poi un giorno con voce scocciata mi disse "forse è meglio che te le compri" e senza enormi sensi di colpa lo feci. Gliene offrii subito una.

Winston Blu.

Scelsi quelle, perché erano le sigarette che fumava mia madre e perché le comprai con la sua tessera sanitaria. Avevo quindici anni, ne fumavo tre a settimana.

"Hai iniziato a fumare" mi chiese mamma un giorno, appena rientrato da scuola.

Era in cucina e le sue parole arrivarono fino in camera mia.

"Come lo sai?" risposi provando a tenere ferma la voce.

"Ho trovato dei mozziconi in giardino e più di un accendino in camera tua, non sei molto attento."

"Comunque sì."

"Se tuo padre ti scopre, ti ammazza."

"A lui non gliene frega niente di quello che faccio" replicai prima che finisse di parlare.

E invece a me fregava di quello che facevi tu e per questo ti osservavo sempre.

Come quando andavamo a fare la spesa con i soldi

contati e i commessi lanciavano sguardi sospettosi ai nostri zaini.

Dicevi "salve" mentre la maggior parte delle persone tirava dritto.

Andavamo a prendere gli assorbenti, le patatine da cinquantanove centesimi e le Moretti da trentatré centilitri che però non c'erano quasi mai.

Ci mettevo sempre un po' a trovare il reparto delle bevande.

Tu entravi e andavi spedita.

Eri così bella di spalle.

Pagavi tu. Scordavi apposta lo scontrino davanti alla cassa e salivamo in macchina.

Guidavo io.

Quando presi la patente, ti scrissi che non ero passato e tu rispondesti "me lo aspettavo".

Mi presentai sotto casa tua in macchina, la stessa sera. Salisti dicendo "ti aspettavo".

Tiravi fuori le Winston e non parlavi più, con il finestrino semi aperto, un braccio fuori e lo sguardo rivolto verso le macchine che ci sorpassavano.

Pensavo che a conti fatti tu saresti stata comunque una saggia decisione, anche se poi mi sarei sentito inutile come le scritte sui pacchetti di quelle sigarette.

Ti tiravo energicamente verso di me per abbracciarti e sorridevi nascosta in quel giubbotto rosso con cui affrontavi la vita.

Io prima di incontrare te non mi ero mai fatto avanti se non era necessario.

Non erano pochi i baci che avevo dato a caso convinto che poi sarei stato amato, che quando hai sfiorato le mie labbra per la prima volta mi sono sentito strano perché forse ti amavo già.

La vita è così, t'innamori e nemmeno te ne accorgi.

Mentre ti accorgi che i gruppi scolastici di WhatsApp

non servono a un cazzo e che votare una volta ogni quattro anni non è per niente democratico.

E noi poi non ci siamo più visti perché le cose che non servono si dimenticano.

Come la tessera elettorale.

Tu andavi sempre a votare, pur sbagliando.

Non ci sono stati più chiarimenti davanti a casa tua. Con tuo padre che ti chiamava e tua madre che lo chiamava perché se no la cena si raffreddava.

Conta poco se ami un altro, conta tanto se intanto non ami me.

Che la persona giusta non è quella che riempie i buchi, ma quella che li crea.

Ciò che ti manca lo colmi solo con ciò che ti manca.

Baciarti prima che tu rientrassi e impiegare venti minuti per scriverti che stavo per andare a dormire ed ero felice.

Che quando mi lasciavi e poi ti rivedevo assomigliavo così tanto alle biblioteche, dove ci sono fiumi di parole e l'unica legge che vige è il silenzio.

Ti dicevo "amami" e pensavo "ama quel che puoi". Mi dicevi "amami" e forse pensavi "amami finché puoi".

Mi dicevi "se mai dovesse finire, perderei tutto" e rispondevo "non accadrà" mentre pensavo "se mai dovesse finire, non perderei solo tutto, ma anche me stesso".

Sorridevi e poi tornavi a fumare le tue Winston.

L'AMORE PARLA PIANO

Sul treno ci sono molte famiglie meridionali che rientrano dalle vacanze. Ho intuito la provenienza, perché qualcuno ha parlato in dialetto. Molti hanno la stessa cadenza. Sicuramente sono partiti da Salerno o da ancora più giù. Paola, forse.

Paola è una città. Noi ci siamo passati quando eravamo diretti a Scalea.

"Ma Paola che nome è?" stavi ridendo ad alta voce e non riuscivi a controllarti. Avevi attirato l'attenzione di molti passeggeri. Io non sapevo come risponderti, ridevo e mettendoti una mano sulla bocca ti imploravo di smetterla.

Quando ci penso mi ricordo quanto mi manchi.

Che quando mi scrivevi "però un po' mi manchi", mi facevi pensare al fiume.

"Tu un po' di più" rispondevo, e pensavo ancora al fiume.

Mi abbracciavi e pensavo "ancóra". Mi lasciavi e pensavo "àncora".

Che ti avrei portata ad aspettare chi non torna per restare insieme sempre.

Insieme al cellulare ti portavi dietro gli occhi tristi e per nasconderli agli altri li rendevi scontrosi.

Le persone ti chiedevano "perché mi guardi male?"

e ti scusavi per qualcosa che non avevi fatto dicendo "guardo tutti così". Ma tu, *tutti* non li guardavi, se no ci saremmo visti prima, se no mi vedresti adesso.

Oggi taglio le conversazioni dicendo "ci siamo lasciati" con lo stesso tono di chi dice "il mare è sporco" quando invece "il mare l'abbiamo sporcato".

Oggi vivi come se non mi avessi mai vissuto.

E io ti chiamerò quando capirò davvero che non "ci siamo lasciati", ma che "il mare l'abbiamo sporcato".

Mi chiederai "come stai?" e ti risponderò "un po'".

E penserai che sono ancora in overdose di te quando invece non sarà così, perché di mezzo ci sarà un fiume.

Pensavo ti avrebbe portato via un ragazzo e invece no, l'orgoglio ti ha presa per la giacca e ti ha urlato "vieni con me".

E secondo te aveva ragione chi alzava di più la voce.

E tu hai dato ragione a chi ha alzato di più la voce.

L'amore parla piano invece, arriva e nemmeno te ne accorgi, e se ne va allo stesso modo, che ti volti e pensi "dov'è?".

Non riesco a dormire sul treno in movimento, fa troppo rumore e poi sono troppo diffidente.

Capita che anche se ho il biglietto e ho verificato mille volte di averlo timbrato, mi venga l'ansia quando sento che sta per arrivare il controllore.

Rileggo continuamente il messaggio che mi ha scritto l'altro ieri tua sorella come se avessi paura che si cancellasse per errore: "Arrivi a Milano Centrale, prendi la metro verde, scendi alla fermata Lambrate, da lì a casa sono cinque minuti a piedi, stammi bene e buona fortuna. P.S. Tienimi aggiornata".

Io e Lucia siamo rimasti in ottimi rapporti, ogni tanto mi scrive. E ogni volta che mi vede, mi sorride.

Di quei sorrisi che sorridono.

All'inizio non le stavo molto simpatico. Ti diceva che ero uno sfigato, uno che pensava solo a fumare.

Mi guardava male e mi salutava solo perché era educata. Ora, ogni volta che ci incontriamo, si ferma a parlare, mi presenta ai suoi amici come l'ex di sua sorella.

Io invece provo sempre un certo imbarazzo quando la incrocio. Fingo di essere di fretta per non affrontare l'argomento Irene. L'abbraccio, appoggiandole un braccio sulla schiena. Le chiedo di salutarti, ma so che non lo farà e lei sa che non lo voglio davvero. Mi conosce quanto basta per capirlo.

Milano è una città che mi dice poco, come tutte le città dove non ho amici. Mi hanno detto tutti che mi piacerà, ma non mi fido, perché sono le stesse persone che, dopo che ci siamo lasciati, mi avevano detto che ne sarei uscito più forte.

Vengo solo a portarti una cosa, poi me ne vado.

Non è niente di che.

Non è un regalo, non saprei definire cosa potrebbe essere per te quello che c'è in questa busta.

Non sono mai stato bravo con i regali, io.

Quando ti compravo un vestito, mi dicevi "grazie, però la prossima volta ci andiamo insieme".

Sorridevo amaro.

Proprio perché so che ci vedremo per poco tempo, sceglierò le parole con cura, promesso.

Perché se ti avessi chiamato, so già che dall'altra parte avrei trovato solo un lungo silenzio, e giuro che non mi va.

Mi basta mio padre.

Qualcuno ha detto che scrivere è come parlare senza essere interrotti.

E tu, se avessi dovuto ascoltare le mie parole, di sicuro a un certo punto mi avresti interrotto perché non ti è mai andato bene nulla di quello che dicevo.

Mio padre e mia zia mi hanno chiesto di salutarti.

Loro credono che siamo in buoni rapporti e io glielo lascio credere.

Sanno solo che sei partita per motivi di studio.

Non immaginano che sto venendo a trovarti a tua insaputa.

Loro pensano che io sia felice.

Io penso che i felici siano loro.

Non lo sai, ma spesso penso alle promesse fatte, preso dall'entusiasmo, che non ho saputo mantenere. Alle volte che ti ho scritto che ti avrei portata via e poi non è cambiato niente.

Non è vero che le parole non sono niente, perché quando mi hai detto "addio" ho toccato i minimi storici.

Allenavi l'autostima, fotografando con il cellulare gli attimi in cui sorridevi, mentre ti si dilaniava il cuore, che era sempre in riserva come la mia Punto.

"Posso chiederti una cosa?" Eravamo sdraiati sul letto con le mani sotto il cuscino.

"Da quando mi chiedi se puoi chiedermi qualcosa? Comunque sì" rispondesti con tono curioso, alzando lo sguardo nella mia direzione.

"Ma quando discutiamo e mi scrivi 'ormai è troppo tardi', chi stabilisce che ore sono?"

Eravamo come quel puzzle che un attimo prima della fine, ci si rende conto che manca un pezzo, che mancavi già da un pezzo. E con i palmi aperti e le ginocchia sul pavimento cercavamo qualcosa che comunque non ci avrebbe ridato indietro il tempo perso a rincorrerci e a rinfacciarci i gradi di rassegnazione.

Ci mancava qualcosa che non ci spettava perché la felicità non è un diritto, perché provare qualcosa non vuol dire averci provato, mentre i treni arrivavano puntuali e tu eri già altrove anche se non partivi.

Stare insieme fa male solo quando ci tieni, quando i sentimenti diventano finestre da dove non si vede bene il cielo.

Siamo stati un cemento unico per un po' di tempo,

braccia conserte che proteggevano dal freddo, ma si tremava lo stesso e le certezze sono venute giù come foglie.

Soffrire al punto di smettere di guardarti negli occhi, per evitare che potessero rispondere ai miei silenziosi "mi ami ancora?".

Tu che cambiavi immagine del profilo, ma ai miei messaggi su Facebook del giorno prima non rispondevi, io che ti riscrivevo il giorno dopo ingaggiando una battaglia persa in partenza.

Non doveva andare così.

Sei tanti pezzi che non so unire.

Ti auguro un posto vicino a Syd Barrett in paradiso e che tu possa rifarti una vita in un luogo che non sia il mio cuore. Quant'è vero che l'amore si fa in due: uno fa e l'altro distrugge.

C'eravamo detti senza dircelo che avremmo fatto a meno delle nostre solitudini che avevano tentato di salvarsi intrecciando relazioni minacciose.

C'eravamo promessi senza dircelo che avremmo costruito un posto dove l'amore sarebbe stato un'alternativa e non una componente dell'assenza. Un posto dove per stare bene sarebbe bastato non farsi male.

"Chiamami sempre quando hai bisogno di me, cercami quando posso fare qualcosa, anche se non sarò in grado di farlo. Svegliami come se il mondo ti appartenesse e promettimi che sarai felice, che sarai bella da togliere il fiato a tutti quelli che ne hanno sprecato" ti avevo detto io.

A PARIGI LA PRIMAVERA NON ESISTE

La macchinetta automatica dei biglietti mi ha assegnato il posto 64 che è quello in mezzo e quindi non ho una presa vicino.

Colpa mia che quando mi ha chiesto se volevo scegliere una poltrona, ho digitato "avanti" perché non volevo creare la fila.

Mi preoccupo sempre per gli altri, io.

Anche mamma era così.

Che a forza di rimandare il suo dolore per aiutare il prossimo si era scordata che soffriva.

Magari poi chiedo al mio vicino se mi fa caricare il cellulare per un po'.

Perché non ho l'orologio e se non so che ore sono è come se non arrivassi mai. E poi se non lo carico mi morirà la batteria nel bel mezzo di una canzone.

Gli iPhone si scaricano come se morissero per arresto cardiaco.

Tutte le volte che ho il venti percento di batteria e sono in viaggio, mi viene in mente quando la batteria scarica a metà strada faceva innervosire mamma, la domenica.

Le domeniche, fino a quando ho compiuto undici anni, andavamo sempre da qualche parte. In qualche posto che nasçeva quasi per gioco. Decidevamo il giorno stesso dove saremmo finiti.

"Potremmo andare a Venezia oggi, vi va?"

Rispondevo sì a ogni cosa.

Eravamo una famiglia.

Anche se eravamo solo in tre.

Anche se non avevo nessuno con cui fare a gara sulle scale.

Quand'ero piccolo, papà mi chiedeva sempre di tenere la mano a mamma, perché così si sarebbe calmata. Siccome ero nato uomo, dovevo proteggerla standole accanto.

Si chinava verso di me, posandomi una mano sulla testa, e indicandola diceva "dài, vai da lei!".

Mi mettevo a posto la visiera del cappello e le andavo incontro, ripetendo più volte "mamma" che per me era il suo nome. Lo scoprii solo a scuola che sono il figlio di Alda Magnani.

Ho un ricordo preciso di quei momenti perché in casa ho tantissime foto scattate da papà.

Ce n'è una in cui corro verso la sagoma di *ma'*, voltata di spalle, che si allontana.

Lui l'ha sempre definita un'immagine artistica.

Io l'ho sempre vista come una cosa che poi è successa davvero.

Mamma si metteva sempre a lato della strada quando la raggiungevo, mi guardava quell'istante in più e io capivo in un baleno che dovevo stare attento alle macchine e ai ciclisti, e che non dovevo correre.

Camminava a passo sostenuto e rallentava solo per rimproverarci del fatto che andavamo troppo piano. Gianluca, papà, si portava sempre appresso la macchina fotografica e una borsa di tela a tracolla dove teneva gli obbiettivi, perché sapeva che si sarebbe fermato a fotografare attimi che poi avrebbe sviluppato in cantina e incorniciato in salotto.

Sognavo città pedonali.

Per me si poteva vivere anche senza la macchina, per me si poteva vivere anche senza prendere il treno. Parigi è il posto più lontano dove siamo stati noi tre e lì non ci saremmo mai potuti arrivare a piedi.

"Potremmo andare a Parigi, vi va?" papà ci disse così che aveva intenzione di prendere le ferie e che voleva passare un po' di tempo con noi. Mamma usciva dal bagno, la testa china verso la spalla mentre con l'asciugamano si strofinava i capelli.

"Facciamolo!" esclamò come se le avesse chiesto di fare un figlio. Non l'avevo mai vista così felice, anche se provava a contenersi.

Parigi è stata la nostra ultima vacanza insieme, perché poi il nonno è morto, papà ha ripreso a bere e mamma, prima di dormire, al posto di dirgli "buonanotte" diceva "non ti riconosco più".

In viaggio dormii tutto il tempo. Ogni tanto cambiavo posizione per far capire ai miei che non mi ero addormentato, ma che tenevo solo gli occhi chiusi, perché per me gli adulti non dormivano mai e io non volevo fare brutte figure. Ma poi scivolavo nel sonno. Gianluca incrociava le mani dietro la nuca e chiudeva gli occhi per parecchi minuti. Quando la mamma gli rivolgeva la parola, lui rispondeva con qualche esclamazione di assenso o solo muovendo la testa su e giù.

Prima di partire, aveva promesso a mamma che non avrebbe bevuto.

Mantenne la promessa.

Arrivammo a *Paris* in due ore, restammo sette giorni. L'Italia la sentivamo così lontana che eravamo felici davvero. Felici per l'ultima volta.

La metro passava ogni due minuti ed era possibile raggiungere ogni angolo della città in poco tempo. A volte però salivamo sull'autobus 95 solo per poter guardare fuori. Papà diceva che era la sua città ideale, perché era una metropoli che non correva, perfetta per fotografare. Mamma già prima di partire si lamentava che gli hotel erano troppo cari e poco spaziosi.

Sotto l'arco davanti al Louvre, Gianluca ci spiegava che di fronte a noi c'erano tutti gli Champs-Élysées. Con il dito spingeva il ponte degli occhiali sulla fronte, con l'altra mano teneva la mappa che stava studiando.

Non gli staccai gli occhi di dosso nemmeno per un secondo.

In quel momento, capii che ognuno di noi vive affidandosi a qualcosa.

E che io mi sarei affidato sempre a quel ricordo. Sempre a quel giorno in cui il mondo mi fece meno paura.

Quando penso a quella vacanza, mi viene in mente subito la foto fatta sotto l'arco davanti al Louvre.

Quella dove sorridiamo tutti.

Quella nella cornice di legno vicino al telefono fisso in salotto.

Io guardo dritto verso l'obbiettivo, papà è alla mia sinistra e mi tiene con una mano la spalla destra, mamma tiene gli occhi socchiusi e guarda in basso con espressione felice, come in imbarazzo.

Oltre a noi sullo sfondo c'è qualche sconosciuto finito lì per errore.

Siamo vestiti pesante.

Ho una giacca blu, una sciarpa a righe e un berretto nero che portavo sempre anche a scuola.

A Parigi la primavera non esiste.

L'ho sentito dire da qualcuno.

Chi ha immortalato quel momento non sa che quella è l'unica foto in cui ci siamo tutti e tre. Sa che la vita ci costringe a prendere una posizione, ma non sa che per anni ho visto mia madre piangere perché nessun uomo oltre a me la teneva per mano. Non sa che poi siamo stati una famiglia solo la domenica, che si è spenta a metà strada per la batteria scarica.

Che saper far meglio le cose può voler dire anche conservare il dolore per una vita intera, in silenzio, e sorridere per far sì che gli altri pensino che tu sia felice.

MI CHIAMO ENRICO PEZZI

Mi chiamo Enrico Pezzi.

Enrico come Berliguer.

Pezzi come Gianluca Pezzi, mio padre.

Un padre che non mi ha mai amato a prescindere da quello che facevo.

Non ho nessun rapporto con lui, solo dolorosi silenzi.

Frasi a metà, frenate dentro, sussurrate tra le lacrime, chiuso in stanza, lontano dai suoi occhi che mi avrebbero giudicato, perché la sua educazione gli aveva insegnato che gli uomini non piangono, non si abbracciano, non chiedono scusa.

Il suo è stato un amore dato con l'imbuto. È stato travi nude quando avevo bisogno di sentirmi protetto.

Un uomo che la società definirebbe "un duro".

Duro come i suoi calci quando tornava a casa ubriaco e mamma non si stancava di rimproverarlo, lo seguiva fino in bagno urlandogli addosso "devi finirla!", "ci pensi mai a tuo figlio?" con me in braccio su un fianco.

No, mai. Pensava a me solo quando si ricordava che avrebbe voluto un figlio calciatore.

A me il calcio non piaceva, preferivo gli Arctic Monkeys e le interviste di Pasolini.

Diventava violento quando beveva, parlava e lanciava le cose.

Non alzava sempre le mani, però.

Non è una persona cattiva, papà.

Fosse stato così, mamma se ne sarebbe andata via prima. Era una donna forte, ma anche capace di conservare la sua ingenuità.

Così forte che nessuno, oltre a me e alla zia, sapeva cosa stava passando, tanto forte da chiedere a me di non dirlo a nessuno per proteggere la famiglia.

Era bella anche vestita di lividi, così bella da apparire delicata.

Capitava massimo due volte l'anno.

Il giorno dopo, tornato dal lavoro, Gianluca si fingeva interessato alla sua giornata con domande tipo "com'è andata oggi?" e lei capiva che era il suo modo per scusarsi.

E lo perdonava.

Preferiva soffrire con lui, con l'amore. Che soffrire da sola, per amore.

A volte provo a pensare a com'erano quelle giornate, quando riuscivamo a essere una famiglia, e non riesco a ricordarmele.

Ho pochi ricordi positivi della mia infanzia, perché la memoria è presenza e la presenza c'era solo attraverso il dolore. E il dolore è stata l'unica eredità che mi ha lasciato mio padre.

Molti credono che il contrario dell'amore sia l'odio, ma non è così.

L'indifferenza è il contrario dell'amore.

Perché l'odio è un sentimento forte, un sentimento che ti fa posare gli occhi su qualcuno.

L'indifferenza no.

L'indifferenza è scontrarsi con qualcuno che non si volta per scusarsi, mentre tu resti lì a guardarlo, mentre se ne va e non si è nemmeno accorto che esisti.

Ho visto mia madre guastarsi per un dolore mai sedato. L'ho vista per anni innamorata di un uomo sbagliato. Pentirsi come quando si accorgeva di essersi tagliata i capelli troppo corti, di aver lasciato la pasta a cuocere un po' di più.

Un giorno ero seduto in cucina a capotavola con il cellulare in mano, mamma era girata di spalle, stava affettando qualcosa e ogni tanto si puliva la fronte con i polsi. Quando cucinava, teneva sempre la porta chiusa e nella stanza faceva caldo. Io avevo appena finito di apparecchiare, era quasi ora di cena. All'improvviso, senza voltarsi verso di me, ruppe il silenzio. "Sai Enrico..." aveva un tono di voce profondo e privo d'espressione. "Io molte cose non le ho capito subito. Quando ero più giovane e tuo padre tornava ubriaco e alzava le mani, pensavo che l'amore fosse anche questo, che se riusciva a farmi stare bene nei suoi momenti migliori, il dolore potevo pure nasconderlo, ma io sbagliavo a credere di stare bene. Non ho mai chiesto aiuto a nessuno perché mi vergognavo, perché pensavo che un giorno avrebbe smesso e avremmo ripreso a essere quei due liceali che a scuola erano invidiati da tutti. Tuo padre ha distrutto piano piano la mia autostima, perché il danno arriva dritto al cuore, non si ferma alla pelle, non lascia lividi evidenti, ma ferite profonde. Ti sto dicendo tutto questo perché spero che tu nella vita possa essere migliore di lui, e migliore di me che non sono mai stata in grado di proteggerti."

Non replicai.

Nemmeno il tempo può diminuire l'odio che provo nei confronti di mio padre che mi ha negato un mondo di sentimenti e situazioni irripetibili.

Li guardavo da lontano, al parco, quei padri che si facevano segnare gol troppo facili dai figli con sorrisi così grandi da poterne percepire la forza.

Lo guardavo da lontano mentre beveva vino come io bevevo acqua.

La sera, dopo il lavoro, o si addormentava sul divano davanti a un primo tempo o usciva con gli amici.

E io e mia madre ci sentivamo più tranquilli.

Vivevamo il nostro rapporto come un segreto che rinnovavamo ogni volta che i nostri occhi si incrociavano a tavola.

Papà non doveva sapere che riuscivamo a essere felici senza di lui perché se l'avesse saputo avrebbe fatto di tutto per intromettersi.

Ma lui non è sempre stato così e io non so cosa l'abbia cambiato.

Mamma diceva "gli uomini ti fregano. Prima sono in un modo e poi, quando ti conquistano, mostrano la loro vera natura. Perché per loro noi siamo solo una terra di conquista. Un trofeo".

E i trofei poi diventano soprammobili che guardi e non tocchi più.

Non stanno lì per te, ma sono da mostrare agli altri. Mamma non si sarebbe risposata più, stava solo aspettando che l'amore finisse e dopo qualche anno accadde.

E nonostante io abbia sepolto il dolore, ogni volta che vedo una donna che le assomiglia, quando mi capita di mettere un piatto in più a tavola, quando mi taglio i capelli troppo corti, crollo, mi ritrovo a piangere sotto la doccia per coprire i rumori.

Perché ho vissuto più a lungo di quanto lei abbia vissuto con me.

Ed è l'ultima cosa che un figlio possa desiderare.

2 OTTOBRE

Regionale veloce 2122
Carrozza 2 posto 64
Prossima fermata: Modena

Me ne accorsi in Calabria che non eri del tutto sincera. Durante le colazioni simboliche in albergo, mangiavi solo una mela e poi per tutto il giorno dicevi "ho già mangiato". La chiamavi malattia. Io periodo. E quando provavo ad aiutarti, t'incazzavi e chiedevi una pausa. Che era solo una scusa, perché le pause di riflessione vanno fatte insieme.

DI PIÙ NON SO

Trovo che tutte le stazioni di provincia si somiglino.

Oltre alle insegne blu, che riportano i nomi delle città, tutte hanno pochi posti nelle sale d'attesa che chiudono presto.

La prima volta che ti ho vista è stata in stazione, scendevi dal treno delle 7.55 a passo svelto perché molto probabilmente eri in ritardo.

Io entravo un'ora dopo perché alla prima avevo religione.

Poi ti ho rivista andando al mare, in un periodo in cui non sapevo cosa fare delle mie giornate perché non avevo interessi.

Avevo qualche amico, ma erano amici lontani dalla mia vita.

Un mese decidevo che volevo partire e il mese dopo decidevo che sarei rimasto.

Lo decisi anche quando ti vidi per la terza volta, perché una seconda non mi era bastata.

Incuriosito, ti rivolsi la parola grazie ad amici comuni. Ridevi a qualsiasi cosa dicessi.

"Piacere, Irene."

Tu arrivavi al lido la mattina insieme alla tua famiglia e rientravate sempre in città per cena.

Io al mare volevo starci meno tempo possibile e quindi ti chiedevo se ti andava di fare due passi in pineta con la scusa che lì c'era l'ombra.

Arrivammo fino alla fine dell'estate.

Ho una polaroid di quei momenti. Siamo magri che si intravedono le costole, tu hai un costume rosso a due pezzi, io porto dei pantaloncini di qualche taglia in più della Sampdoria. Siamo vicini e non ci tocchiamo, porti le mani sui fianchi e stai sulle punte dei piedi. Io mi sfrego i capelli con il palmo della mano e tengo un occhio socchiuso a causa della luce del sole, mentre le alghe portate dalle onde ci toccano i piedi, con il mare alle spalle a riempire lo sfondo.

"Ti aspetto qui" ti dissi quel giorno.

"Mi spieghi perché non vuoi mai fare il bagno?"

Non ho mai imparato a nuotare. Da piccolo, mentre i miei amici passavano le giornate in acqua, io stavo a riva a raccogliere conchiglie e a costruire castelli.

Tu tutto questo non lo sapevi e ti stupivi del fatto che un ragazzo di diciassette anni preferisse la pineta alla spiaggia. Si capiva dalla tua espressione che non eri abituata ai rifiuti e un po' ti indispettivano.

I primi mesi parlammo di tutto, senza tempo, a volte anche ripetendoci.

Carmen Consoli, Ikeda, Dante, Guccini, che non conoscevo proprio.

"Hai mai sentito *Il sociale e l'antisociale*? Non hai mai ascoltato un disco di Guccini?! Oh mio Dio, pensavo fossi più sveglio."

Sorridevo a qualsiasi cosa mi scrivessi.

Parlammo di me, del mio nome.

Mia madre mi ha chiamato così perché è il nome del dottore che l'ha assistita durante il parto e poi perché ama Berlinguer. Papà pensava nascessi femmina.

Parlammo di te, di tua madre, del tuo nome.

"La mia, invece, quando rompevo le tazze, mi diceva 'hai la distruzione nelle mani'. Io non so cucinare, perché mia madre non mi voleva in cucina, perché ero, sono, un disastro, non mi faceva nemmeno apparecchiare. Quando andrò a vivere da sola chissà come farò. Mio padre non diceva nulla, mio fratello si lamentava perché non facevo nulla. Ci restavo male, perché volevo essere trattata come una donna già da bambina. Pensa che il mio nome in greco antico significa 'Pace'. Credo che a volte siano i nomi a condannare i figli. Spesso penso a chi si chiama 'Felice' o 'Beatrice', alla loro infanzia. Mia figlia avrà un nome neutro, sarà lei a dargli un significato e la vita a darle un nome."

Quando ci mettevi dieci minuti a rispondermi, mi sforzavo di mettercene venti.

Avevo paura, perché mi piacevi davvero.

Siamo stati insieme tre anni. Ne avremmo fatti quattro a ottobre.

Di più non so, di più non c'è stato.

Non eravamo pronti, è chiaro.

Tu eri il mio ideale di bellezza.

Ogni volta che ti alzavi dal letto per andare in bagno, sbagliavi a metterti le pantofole e inciampavi un po'.

Raramente cadevi.

Inciampavi.

Sbagliavi le chiavi per entrare in casa, perché ne avevi due simili con su scritto "Cisa".

Sbagliavi i modi, perché per te dirmi "fai come vuoi" era come chiedermi "scusa".

A te ho dato le mie fasi, le mie frasi più belle, mentre i Daughter pubblicavano "His young heart".

Non eravamo pronti, è chiaro.

Ci separavamo per trovarci meglio.

Ciò che ti manca lo colmi solo con ciò che ti manca.

C'ero quando avevi bisogno di parlare.

Quando su una salita ripida, da baci sulla fronte in bici, volevi arrivare in cima a tutti i costi.

Quando stavi per mettere troppo sale.

Quando ci mettevi poco amore.

Quasi quattro anni, poi non sono tanti se si calcola che ci vedevamo tre volte alla settimana. Il lunedì, il mercoledì e la domenica.

Di mezzo ci sono stati la maturità, lo studio, le tue amiche. C'erano giorni in cui sparivi senza dire nulla perché avevi da fare, anche se io non sapevo cosa.

L'avviso dei messaggi copriva i nostri silenzi religiosi.

Non ti ho mai fatto pesare nulla, pesando tutte le parole.

A te ho dato la mia voce, quando non sapevo con chi sfogarmi.

Mi hai mandato via un sacco di volte al punto da perderne il conto.

Mi hai lasciato le occhiaie sotto gli occhi tante notti, quando vomitavi agli angoli delle strade e ti chiamavo senza avere risposta.

Perché dentro eri in ginocchio. Dentro sentivi un groviglio confuso di pensieri che si espandevano nella testa e rimbombavano nello stomaco.

"Il corpo quasi fatica a contenere tutto questo caos" dicesti un mercoledì sera.

Avevi la casa libera il mercoledì, e di fronte alla tele ogni tanto raccontavi qualcosa, senza voltarti. La luce dello schermo t'illuminava sempre solo una metà del viso. La tua testa sulla mia spalla.

Sin da quando eri bambina, ti eri sempre sentita dire da tua madre che non eri bella abbastanza e ti eri convinta che avesse ragione.

Non volevi essere aiutata.

A volte non mangiavi perché non volevi prendere ordini.

"Mangia!" ti dicevo.

"Se non ho fame, non ho fame!" rispondevi scocciata.

Non ero abituato.

Non mi sono mai abituato.

Mi sono sempre trovato impreparato, tutte le volte che mi hai lasciato con la stessa scusa: "Ho bisogno di stare da sola".

"Va bene."

"Sola senza di te."

Ci sono persone che sono capaci di distruggerti utilizzando un filo di voce.

C'è chi si abitua facilmente alla lontananza, alle cattiverie. Io non ci riesco. Io non so essere indifferente di fronte a un'emozione. E riesco a meravigliarmi anche di fronte a situazioni che ho già vissuto.

Non ci si abitua mai agli addii e agli abbracci.

Non ci si abitua mai a ciò che ci manca.

Penso che ti sarei stato a fianco anche se soffrivo il mal d'auto, anche se non c'era posto per tutti e due i gomiti mentre eravamo seduti sui treni.

"Manuel, quando mi addormentavo, mi svegliava o se ne andava perché non voleva disturbare."

Eravamo seduti sul divano, io guardavo il soffitto, tu il tuo passato.

"Sai perché ti amo io?" mi chiedesti.

La tua domanda mi fece paura.

"Perché?"

"Tu mi resti a guardare quando dormo, tu mi dici che sono bellissima quando ti respingo, corri quando ti chiamo. Perché lo fai?"

Mi presi del tempo perché volevo rispondere anche alla domanda che non mi avevi fatto.

"Ire, io non so perché lo faccio. Quando sai perché ami una persona, quello non è amore, ma un bisogno. Io non so cosa mi mancherà di te se tu dovessi andartene. Giuro, non lo so, e questo mi fa paura. Tu invece lo sai, sai cosa ti mancherà, sei già preparata e forse mi dimenticherai in fretta. Perché le cose che non ci servono si dimenticano. Quando si ha bisogno di qualcosa, si conosce anche l'effetto che ci farà, come le droghe.

Invece, quando si ama, tutto questo salta. Molte volte quando ti vedo sto male, altre torno a casa e il mondo mi fa meno paura. Non prendertela, ma non credo che il tuo sia amore, io ti sono utile.»

La mia frase ti ferì.

"Se pensi questo, allora perché sei qui?"

Lo schermo del televisore ti illuminava ancora gli stessi punti del viso. Non ti eri mossa.

Non l'hai mai fatto per me.

Sono qui perché ti amo, perché fuori è autunno, perché tu, anche se non lo fai apposta, il male spesso lo sopprimi.

IO ERO UN TRE, TU UN NOVE

"Tutti i numeri dispari insieme formano un numero pari."

Questa frase era scritta in piccolo sul muro di un bar d'angolo. L'avevi letta ad alta voce, con tono soddisfatto, accarezzando con un dito le lettere.

Amavi gli aforismi, sottolineavi i libri a penna.

Eravamo rientrati da Scalea e c'eravamo fermati a Bologna a dormire perché non c'erano più treni per casa. Eri entusiasta, perché a te Bologna piaceva, anche se ad agosto diventava provincia e l'asfalto sembrava sciogliersi dal caldo.

C'eravamo già stati un anno prima per un concerto che poi era stato annullato per la pioggia.

Di notte, i portici poco illuminati sembravano caverne silenziose e le tue parole coprivano anche i più piccoli rumori.

"Siamo numeri dispari io e te" dicesti tirando fuori le sigarette dallo zaino. "Le nostre continue mancanze ci hanno reso così. Mai completi e sempre in conflitto con noi stessi. L'8 è infinito, il 3 è incompletezza."

Ti porsi l'accendino e tu ti incamminasti continuando a parlare.

"Andrea non è mio padre, lo è solo di Lucia. Per questo motivo siamo così diverse. Ho passato l'adolescenza a sentirmi chiedere perché lei avesse gli occhi e i capelli più chiari dei miei. 'Non sembrate sorelle' mi dicevano tutti. E anche se tu non me l'hai mai chiesto, immagino che ti sia fatto la stessa domanda. Io assomiglio a mio padre e lei al suo. Da nostra madre abbiamo ereditato il carattere, il vizio del fumo e le risposte di merda."

Parlavi senza guardarmi, fumavi tirando lunghe boccate e ogni tanto ti portavi dietro l'orecchio una ciocca di capelli che dopo poco ritornava dov'era.

"Mi ha sempre trattata come un'intrusa e io l'ho sempre chiamato per nome. Lui è un uomo d'altri tempi, per cui il rispetto è non chiamare mai per nome un genitore. Per cui i genitori non accettano consigli. Ha conosciuto mia madre che avevo più o meno cinque anni. È verissima quella frase che dice che i chirurghi si sposano solo tra di loro. Andrea e mia madre passavano così tanto tempo insieme in sala operatoria che è stato inevitabile avvicinarsi. Entrambi usciti, feriti, da un divorzio doloroso."

Parlavi con le "t" lievemente marcate e le vocali aperte. Avevamo fatto tantissime conoscenze a Scalea e la parlata del posto ti era un po' rimasta.

"Un pomeriggio, fuori da scuola, in macchina, mia madre mi ha comunicato che avremmo cambiato casa, che saremmo state felici e che avrei avuto una sorella perché aspettava un bimbo. Mi aveva tenuta nascosta la loro relazione per due anni, dicendo a tutti che era solo un amico, che gli uomini sono tutti uguali e che sarebbe rimasta sola per il resto dei suoi giorni e, anche se con scuse poco credibili, i fine settimana mi lasciava da mia nonna e si trasferiva a casa sua. 'C'è solo Irene per me' rispondeva così a chi aveva sospetti. Quando è rimasta incinta, ha dovuto dire a tutti la verità e di lì a poco abbiamo cambiato radicalmente vita. Siamo andati a vivere in un'altra città, dove non conoscevamo nessuno. Ho dovuto cambiare scuola e amicizie. Passavo le giornate insieme a un uomo che più che volermi bene, cercava di comprarmi con regali stupidi, e quando si è reso conto che ogni tentativo era inutile, ha iniziato a evitarmi e a trattarmi con sufficienza. Mia madre è un numero dispari, è un 3. Si è sempre comportata come se lo scopo della sua esistenza fosse avere un uomo accanto. E quando ha incontrato una persona come lei, una che le somigliava, almeno a parole, ha subito colto l'occasione per rimettere su famiglia. Poco tempo dopo, però, l'entusiasmo è svanito e il loro è diventato un amore ordinario. Mai un litigio, mai una sorpresa, mai un confronto. La loro è una relazione educata di due perfetti sconosciuti che preferiscono non scontrarsi. Non ricordo nemmeno l'ultima volta che li ho visti baciarsi o tenersi per mano. Due numeri 3 finiscono per darsi le spalle e a loro è successo così. A lei è sempre bastato far credere agli altri che fosse felice in una famiglia senza crepe. Ha passato tutta la vita a voler dimostrare a chi le stava vicino che mio padre se n'era andato perché era semplicemente uno stronzo e non perché era lei quella sbagliata."

Fumavi impassibile, senza cercare un modo giusto di parlare, ma ti tremava la voce.

La strada in mezzo alle case finiva dove iniziavano le luci del centro.

Noi camminavamo senza sapere dove saremmo finiti.

"Il mio padre biologico non era un chirurgo, faceva lo scultore. Si chiama Roberto, è calabrese, di Scalea, come mia madre. Si erano trasferiti tutti e due al Nord da adolescenti. Il mestiere l'aveva imparato dal padre, mio nonno, che non ho mai conosciuto. Era un bravo scultore, mio padre, sempre in giro per l'Europa. A volte, per finire un lavoro ci metteva pure un anno, così mi hanno raccontato. Tutto quello che so di lui mi è stato riferito. Era un uomo bello, di tante parole e tante bugie. Ci ha abbandonate quando io avevo quattro anni. Aveva un'altra relazione con una ragazza più giovane conosciuta a una sua mostra e un giorno ha semplicemente deciso senza avvisarci che non sarebbe tornato a casa. Ora credo che viva in Germania, ha dei parenti a Francoforte. Non l'ho più visto né sentito. Mi sono chiesta per anni quali possano essere i motivi che spingono un padre ad andarsene. Non ricordo un solo momento nella mia vita in cui io non ne abbia sofferto. È diventato uno stato d'animo che ho imparato a riconoscere come mio."

Piazza Verdi era colma di ragazzi seduti per terra, nell'aria c'era un odore forte di erba e tu guardandomi ti apristi in un sorriso che sembrava un punto di domanda.

Allora presi coraggio e ti raccontai la mia di storia. "Io invece ho visto per una vita mia madre rincorrere un uomo che non l'avrebbe mai resa felice. Ma, guardandola, ho imparato che l'amore va meritato, che chi se ne va fugge da qualcosa tanto quanto chi torna. Che in pochi riescono ad andarsene e restare con la sensazione di essere sulla strada giusta. Che in molti ti amano per come ti vorrebbero e in pochi per come diventi. E io, per quanto possa essere assurdo, mia madre la capisco, perché se ti manca qualcuno che è la tua famiglia, non puoi farci molto, se non sperare che ritorni a esserlo. Ho imparato che la mia famiglia posso essere io, a volte invece lo è il mio migliore amico, altre uno sconosciuto con cui parlo in aeroporto mentre aspetto un aereo. Spesso sei tu, la mia famiglia. Quello che ci conforta è famiglia, niente di più e niente di meno."

Tenevi la sigaretta tra il pollice e l'indice. Quando le stavi per finire, le guardavi con più attenzione e poi le gettavi lontano.

Ti sedesti per terra, dando le spalle a un ragazzo che suonava un pezzo dei Doors con la chitarra classica.

"Non so se è come dici tu" rispondesti guardandomi negli occhi. "Io continuo a pensare che l'amore sia l'unica cosa al mondo che non dovrebbe costar fatica."

Scossi la testa sorridendo lievemente e posandoti un braccio dietro il collo per portarti più vicino a me.

"Non credo" dissi appoggiando le labbra sui tuoi capelli. "Spesso ci comportiamo come se le cose avessero una scadenza. 'Due che stanno insieme un anno è impossibile che non si amino' ho sentito dire. Ma non è così, l'amore si merita. Le poche volte che mi dici 'ti amo', io penso 'spero di meritarlo', anche se rispondo 'anche io'."

Nel silenzio che si era creato tra noi, pensai a quanto erano simili le nostre vite.

Padri assenti e madri spaventate dall'idea di restare sole. Eravamo due numeri dispari noi, ma non lo stesso numero.

Io un 3, tu un 9.

Sarebbe bastato poco a te per essere un sei.

Dovevi solo imparare a tenere i piedi ben saldi a terra e la testa alta.

Se ti fossi amata di più e avessi messo da parte il tuo non sentirti mai abbastanza, saresti potuta essere un numero pari senza di me, senza nessuno.

NON SO DOVE, MA INSIEME

Nelle riunioni di condominio del mio stato d'animo, parlavi solo tu.

Eri precipitata nella mia vita che avevi occhi bagnati di insicurezze e pochi sorrisi che trattavi con sufficienza.

Io avevo pochi amici, forse nessuno.

Tu eri bella, quel tipo di bellezza che fa sembrare una persona vuota.

Ci saziavamo di Moretti e chiedevamo alle persone in piazza Verdi se avevano delle cartine lunghe e se avevano da fumare.

C'era chi ci offriva l'eroina, ma tu lo eri già per me. Rifiutavamo con dei "no" secchi, perché per noi quella era merda.

Trainspotting in streaming ogni volta che fuori pioveva, bicchieri come posacenere, tu al posto di un'esistenza vuota, i piedi sul tavolo di vetro di fronte al divano, con la luce spenta, che a metà film ci addormentavamo.

Non volevo rovinarti la vita, ma fare in modo che ce ne fosse una nostra, per migliorare la mia.

Eri la conferma che la risposta esisteva, e per me "più lontano che potevo" era diventato "dove iniziavi tu".

La fatica per rovesciare le mie incertezze, l'amore che sarebbe arrivato e cresciuto nei nostri disordini, ma di cui prima bisognava fare a meno.

A volte, mentre ti guardavo dormire, mi dicevo "farò

finta di non averti mai amata, così se non dovessi più amarmi un giorno, non rimarrò troppo deluso".

Ma i sentimenti non sono SMS che fingi di non aver inviato perché non hai ricevuto risposta.

La sfiducia che riponevamo nelle istituzioni era figlia del fatto che non eravamo figli dei fiori, ma di tangentopoli.

E sulla punta della lingua delle notti insonni, seduti sulle scale del portone di casa tua, smezzavamo sigarette, cercando soluzioni possibili e futuri vicini come il passato.

Mai sullo stesso gradino. In modo che poi quando ci alzavamo per salutarci non dovessi alzare i talloni per baciarmi.

Le tue labbra erano serrande avvelenate dal sapore delle sigarette che fumavi in continuazione.

Ogni giorno fino a notte tarda.

Ogni notte fino a tardo giorno.

Arrivavo a casa con il tuo accendino che ritrovavo in tasca mentre cercavo le chiavi e ti scrivevo "domani te lo porto" senza dirti che parlavo del mio amore.

Quanti amano e sentono di fare la cosa giusta?

Io le paranoie del cazzo le lasciavo sotto il cuscino e le schiacciavo con i sogni e i progetti che avevo in testa. Credevo saremmo arrivati insieme.

Non so dove, ma insieme.

Perché i controllori in treno, quando ci chiedevano il biglietto, erano tutti convinti che ne avessimo uno per tutti e due.

Accavallavi le gambe. Guardavi fuori.

Io guardavo te che impazzivi in silenzio perché non potevi fumare.

Nei sottopassaggi mi stringevi un po', come quando, a letto insieme, ti svegliavi di colpo e appoggiavi il tuo braccio sul mio petto come se stessi annegando, come fossi un salvagente.

E dormivi senza reggiseno per respirarci un po' di più. Avevi i piedi freddi ed enormi margini di miglioramento. Non avevi margini.

I baci sul collo fino ai lividi.

I primi piani delle tue parti intime che mi inviavi su WhatsApp.

Venire.

Restare.

Scopare con la scusa di guardare di nuovo un film, con una mano sulla bocca perché di sopra dormivano.

E sorridere come se stessimo compiendo un furto.

Irene, io non ti rivoglio indietro. Io ti voglio qui davanti.

Ma poi ci siamo persi in questioni che non c'entravano, tipo che ci mettevi un po' di più a rispondermi ai messaggi e io pensavo fosse colpa delle mie risposte che non erano all'altezza.

E ogni attesa erano cinque piani senza ascensore.

I miei volti pensosi.

I tuoi volti felici di sorrisi difficili.

E viceversa.

Quando mi dicevi "mi porti a casa?", in realtà volevi restare. Quando dicevi "portami a casa", mi volevi distruggere e i miei occhi si bagnavano di quelle insicurezze che tu non provavi più.

Non avevo bisogno di te per sopravvivere, ma per essere un po' felice.

Come acqua ghiacciata nei pomeriggi d'agosto.

Occupi vuoti, tu che oggi mi riempi di niente.

Occupi silenzi, tu che oggi non mi dici più niente.

E tutto questo nulla non mi lascia nulla.

Nessuno ci ama più di quanto ci dimostra e io questo non l'ho mai capito.

Ma ti ricordi com'è quando ami e senti di fare la cosa giusta?

SEI IL PASSATO CHE HO ADDOSSO

"Irene, posso chiamarti Ire, vero?"

"Sì, puoi" rispondesti così la prima volta che ti lasciai sotto casa tua.

Eri un'altra persona i primi mesi, quando ti incontravo nei posti dove non ti aspettavo e dove non mi aspettavo di vederti.

Non volevi che le tue amiche sapessero che ci frequentavamo.

Pensavo che non avessi bisogno di dirglielo perché tanto non saresti rimasta più di tanto e mi sbagliavo.

Come quando il tuo balsamo mi ripeteva che eri passata di qui.

Eri un amore straziante, di quelli che ti svegliano di notte mentre già piangi, quelli che butti giù il telefono e poi richiami mandando a puttane l'orgoglio, quelli che ritorni ad avere paura del buio, in cui ti accorgi che sono le notti immense a far riaffiorare i ricordi.

Io ho fatto di peggio.

Non eravamo pronti, è chiaro.

"Hai gli occhi stanchi, forse è meglio che dormi" mi dicevi, ma non era vero. I miei non erano mai stanchi di te.

Tornavo dal lavoro e ti chiedevo di vederci, perché era l'unico modo che avevo per capire se ti mancavo.

Mi nascondevi come a teatro coi rumori di fondo imprevisti, come i tuoi occhi la seconda volta che hanno incrociato i miei, su quel bus in ritardo che si dirigeva verso i lidi ravennati.

Eri l'inspiegabile sensazione di felicità che si avverte quando si pensa all'Africa e ai suoi paesaggi, le ragioni esistenziali, i deragliamenti, la figura che mi raffigurava nei momenti migliori, la mia vita senza i tempi morti, senza i momenti passati ad aspettare i tuoi rientri.

Noi eravamo questo, altro e il contrario di tutto.

"Ire, fai la seria, perché ridi?"

"I tuoi sorrisi mi fanno sorridere."

E io sorridevo poco, perché ero esausto.

Il lavoro mi annullava.

Io le tue mancanze avrei voluto riempirle tutte. Frastornarti quando non mi ascoltavi.

"Potevo urlarti addosso che ti amavo che tu mi avresti risposto di non urlare" era una delle tue frasi preferite.

Pensavo "chissà di chi sarà?".

"Chissà se resterai."

Che se anche avessi avuto una sorella gemella, saresti rimasta lo stesso una bellezza unica.

Siamo cambiati tutti e due, soprattutto tu, che eri sopra a tutto.

Mi nascondevi come le cicche sotto i banchi, come i tuoi occhi la seconda volta che hanno incrociato i miei, di nuovo su quel bus in ritardo che si dirigeva verso i lidi ravennati.

Siamo cambiati tutti e due, soprattutto tu, che eri soprattutto tu.

Le cose sono cambiate quando al posto di *Ire* ho iniziato a dire *eri*.

"Irene, posso chiamarti Eri, vero?"

Sei in tutto ciò che mi ha fatto accasciare, in tutto ciò che mi ha strappato via la voce e una parte di cuore.

Sei il passato che ho addosso.

Sono il passato che hai adesso.

Ci addormentavamo abbracciati e ci svegliavamo separati, ognuno nel suo angolo, come in castigo. Il sonno ci ha mostrato la nostra vera natura, più volte. E io quei segnali non li ho mai riconosciuti.

L'amore dovrebbe durare come le amicizie, come le bici, che sono eterne.

Io ci andavo al liceo con la Stelbel di mio padre. La chiudevo nella rastrelliera sotto i portici di fronte al Coin ed entravo a scuola. Al liceo erano pochi i ragazzi che venivano in macchina, perché l'edificio si trovava in pieno centro e la piazza fuori da scuola diventava un parcheggio per motorini e biciclette.

La mattina ti vedevo arrivare a piedi dalla stazione insieme a tua sorella, vi salutavate all'ingresso, quasi sempre nello stesso punto.

Tu stavi al piano di sopra, giocavamo a incontrarci davanti alle macchinette.

A scuola anche i professori sapevano che stavamo insieme e quando chiedevo di andare in bagno c'era sempre un commento da parte loro.

"Pezzi, lei è troppo innamorato" dicevano con tono sospettoso e avevano ragione.

Capii qualche anno più tardi che "troppo" soffoca.

Quando abbiamo iniziato a frequentarci, ti portavo sulla canna della bici in stazione e tu ti piegavi sempre dalla parte sbagliata in curva, rallentandomi.

Per te andavo sempre troppo forte ma quando eri di buon umore ridevi e urlavi ai passanti "attenzione, spostatevi!" come fossimo su un TIR.

La prima sigaretta la fumasti con me. Quel giorno avevamo saltato le lezioni. Eravamo davanti a scuola e prendendomi per mano mi chiedesti di andare da un'altra parte.

"Andiamo in un posto meno noioso?"

Avremmo potuto saltare sempre la scuola, perché i nostri genitori erano al lavoro tutto il giorno. Nel tragitto verso casa, dicesti "è così che sono diventata una donna presto. Le assenze ti rendono più presente".

Andammo da me quella volta.

Alle medie badavi a tua sorella e l'aiutavi con i compiti, te la portavi ovunque.

Mentre raccontavi, tirai fuori dalla tasca dello zaino il tabacco e le cartine e, seduto sulla scrivania di camera mia, mi preparai una sigaretta.

Quando avevo pochi soldi, compravo il Drum per risparmiare e tu, cogliendomi impreparato, mi chiedesti se potevi provare.

Avevi già deciso e forse a mia insaputa avevi anche già fumato, per questo non dissi nulla.

"Sai perché studio sempre così tanto io?"

"No, perché?" ti domandai soffiando il fumo lontano da te.

"Perché ho fretta di andarmene, lasciare questa scuola, questa città. Io mi sento sola qui, mi sento affogare nei palazzi di questo centro storico. Saranno le persone che mi circondano, il silenzio umido che invade ogni cosa, non lo so. Ma ho bisogno di vederlo il mondo, anche solo a due passi da qui. Mi serve un posto che mi restituisca un po' di vita. Non pensi anche tu che questa sia una bellezza apparente? Che è tutto vuoto se guardi bene, che sotto la pelle non c'è un cuore. Voglio trovare un posto che non rispecchi il mio stato d'animo, ma che mi aiuti a essere felice."

Tolsi gli occhi dalla sigaretta e li spostai su di te. "Sai cosa mi spaventa?"

"Cosa?"

"Che tu un giorno vorrai scoprire e conoscere il mondo e io resterò sempre lo stesso, che i sentimenti non lasciano spazio alle incertezze e tu sai già dove sarai, mentre io no."

Quel pomeriggio, in bici, pedalai lentamente senza parlare.

"Lasciami davanti a scuola" fu il tuo unico commento.

Spesso ripenso a quando ti dicevo che ti avrei portata lontano e poi non lo facevo, a quando dicevi che volevi andartene e sapevo che l'avresti fatto.

Io ho sempre creduto che quando perdi una persona poi puoi solo crescere e la vita va avanti comunque. Ma non è così, con te sono rimasto lì dov'ero, accanto al ricordo di quando ancora c'eri, senza crescere mai.

Perché il dolore ti blocca e la paura di soffrire di nuovo fa più male di ogni amore perso.

E giuro che ti vorrei accanto o anche addosso.

Spesso penso che ti amo, che sai che puoi farmi quello che vuoi.

E quindi *ti armo*.

2 OTTOBRE

Regionale veloce 2122
Carrozza 2 posto 64
Prossima fermata: Reggio Emilia

Io Irene l'ho amata così tanto che ora sono un cantiere aperto nel Sud Italia. Quelli dove, chi passa, appoggiandosi alle sbarre, pensa "non lo finiranno mai", in attesa che qualcuno lo riapra, lo riavvii e lo rilasci lì.

SE SAPESSI COSA MI MANCA,
AVREI TUTTE LE RISPOSTE

Sono sceso anche io a fumare questa volta, ho dato tre boccate e l'ho spenta subito, per paura che partissero senza di me.

Il controllore ha fischiato, ha sventolato un fazzoletto verde e siamo ripartiti.

A Modena si è aggiunto qualcuno che scusandosi ha preso posto.

C'è un silenzio innaturale.

Come quando a tavola nessuno diceva niente. E io fissavo il piatto, senza mai alzare la testa. E quando l'alzavo, mamma mi sorrideva, come a dire "finisci e vai a letto". Papà poi si spostava sul divano a guardare le repliche delle partite. Mamma a leggersi un libro. Ne leggeva uno a settimana. Tutte le giornate terminavano così, con loro seduti vicini sul divano in salotto, che non provavano nemmeno a guardarsi.

Qui dormono tutti e un po' li invidio. Le province mi scorrono accanto, si fondono coi paesaggi. Luci gialle e bianche si susseguono senza fermarsi, come se ci stessero seguendo.

Da bambino avevo paura delle luci delle macchine che attraversavano la finestra di camera mia e creavano strane forme sul muro.

Abitavamo al primo piano e la mia stanza affacciava sulla strada. Le inferriate alle finestre non placavano l'ansia. Mi spaventavano i rumori notturni che sentivo vicino a casa e che rompevano il sonno.

Fino a nove anni ho dormito con i miei genitori. Poi, quando loro hanno smesso di dormire insieme, sono tornato in camera mia e ho sigillato le tende.

Dormivo con le cuffie.

Ascoltavo *Rumori della pioggia* e mi addormentavo con quel sottofondo lieve.

I miei genitori si sono lasciati senza essere adulti, senza grandi frasi. Li sentivo discutere dal letto e restavo immobile. Davo le spalle alla luce del sole che filtrava e mi riaddormentavo.

Per me era una cosa normale e per i vicini pure. Iniziavano a litigare appena svegli, quando si incrociavano nei corridoi. Perché uno dei due occupava il bagno o perché l'altro non aveva abbassato una tapparella o buttato la spazzatura.

Gianluca dormiva in salotto.

Mamma chiudeva a chiave la porta della camera.

Papà ha strappato via il sorriso a mamma, come chi ha scavato nella roccia per industrializzare le zone di montagna.

Mamma ha sempre ripetuto "fai quello che vuoi della tua vita" e quando lui finalmente l'ha fatto, si è accorta che non era la stessa cosa che voleva lei. Non avevano quasi più argomenti di conversazione. Discutevano. E mamma, prima di voltargli le spalle, diceva "ti ho già perdonato troppe volte. Non ti sopporto più".

Quando Alda chiedeva a me se aveva ragione, alzavo le spalle, non lo sapevo, mentre Gianluca diceva "lascialo stare".

Che a forza di lasciarmi stare, non sono diventato niente. Che a forza di lasciarmi stare, non si sono accorti che le mie ferite portavano il loro nome.

Quando due persone si ostinano ad amarsi a tutti i costi, si fanno solo del male, ma loro lo hanno capito tardi.

Capita spesso che amare significhi farsi da parte e lasciare andare l'altro, per il suo bene.

La loro relazione era legata da parecchi anni a una necessità economica, perché da soli non riuscivano a essere indipendenti.

Il divorzio è stata una risposta a qualcosa che da troppo tempo non funzionava, ma non ha dato risposte a me.

Andavo a dormire dalla zia, senza dirlo a nessuno.

"Lavorare otto ore al giorno e amarsi solo di domenica. È uno degli effetti collaterali del nostro modello sociale" sosteneva.

A casa sua c'era un giardino grande come un campo da calcetto. Mi toglievo le scarpe e restavo lì per ore, a fissare il tempo che passava, con la testa sul prato. Andavo da lei praticamente tutti i martedì e i giovedì. Scappavo di casa anche perché avere mura attorno mi faceva sentire in gabbia, e io volevo che il mio sguardo si perdesse per un po', come chi cerca la fine del mare dal porto.

Molte sere della mia adolescenza le ho passate in un angolo del letto con le ginocchia al petto, a ripetermi "se sapessi cosa mi manca, avrei tutte le risposte".

Mentre l'unica risposta arrivò un giorno da mia madre e non era per me. "È ora che ti decidi a fare il padre" disse a Gianluca.

Saranno state le cinque del mattino.

Per tutto il giorno non avevamo avuto notizie da parte sua e al telefono non rispondeva. Non sapevamo dove cercarlo. Quando entrò in casa, andò direttamente in sala ignorando mia madre che lo aveva aspettato tutta la notte. Era visibilmente ubriaco, avanzava a fatica.

Avevo nove anni e quella notte avevo dormito da solo nella loro camera chiusa a chiave. Fu la voce di mia mamma a svegliarmi. Stava gridando, lei che difficilmente alzava la voce. Poi il silenzio, Gianluca doveva essersi addormentato.

Il pomeriggio, quando aprì gli occhi, non avrebbe trovato nessuno in casa. Restammo dal nonno per due settimane.

TU VALEVI DI PIÙ

Quando uscivo, finivo sotto casa tua, e quando non finivo sotto casa tua, finivo per perdermi.

La tua assenza rendeva piatto il paesaggio.

Questa cosa del camminare in continuazione me l'hai attaccata tu.

Le mappe dell'iPhone ci dicevano che ci volevano trenta minuti a piedi e tu commentavi "ce ne metteremo al massimo quindici, dài".

Andavamo ovunque a piedi, ci fermavamo davanti ai cartelli stradali e a quelli pubblicitari, commentandoli, come i critici letterari con i casi editoriali inattesi.

Eri diversa.

Camminavamo fino all'ultimo vagone, verso gli ultimi posti, per avere una storia in più da raccontare.

Ridevamo di chi dormiva a bocca aperta e acquistavamo biglietti da 60 km per viaggi che ci avrebbero portato più lontano.

Ci toccavamo le mani solo ai semafori rossi, nelle gallerie.

Avevi un occhio attento, un cuore.

Mi dicevi "svilupperemo tutte le foto fatte insieme, come una metafora da rispettare".

Camera mia è piena di nostre foto disordinate sul muro. Scatti di Parigi, Venezia, Crema, Perugia, Verona. Scarti. C'è molto di te in camera mia, anche nella disposizione degli oggetti. Io dormo ancora attaccato al termosifone, era il tuo posto perché di notte avevi freddo. Così quando mi sveglio perché ho troppo caldo mi dico "lei ha fatto tutto questo pensando 'così un giorno ti mancherò'".

Come quando scrivesti sul muro "voltati..." e sul termosifone "si volterà...", certa che l'avrei fatto.

Oppure il portapenne pieno di matite vicino al computer, l'hai messo tu lì, perché amavi disegnare.

"Mi ricorda l'albero della vita di Klimt" dicevi contenta.

E tutte le volte che torno a casa, quel portapenne inutile lo sposto dalla scrivania per non vederlo ogni volta che guardo fuori dalla finestra.

Potrebbe servirmi, penso quando decido di buttarlo, e non lo butto mai.

Quando mi decido a scriverti e non mi butto mai.

Non potrei servirti.

So che non mi credi, ma non ho avuto nessuna dopo di te.

Come quando mangi qualcosa subito dopo esserti lavato i denti e il retrogusto di menta ti fa passare la fame.

Pensavi ad alta voce che il bello di Milano era guardare su, perché c'erano dei terrazzi bellissimi.

Pensavi ad alta voce che un giorno ci saremmo lasciati male, che per mesi avremmo contato i giorni, che avremmo vissuto quella fase in cui piaci a chi non ti piace, e quando piaci a chi ti piace, uscendoci, ti accorgi di non provare piacere.

Pensavi ad alta voce che ci sarebbe mancato il sesso, e ci saremmo rivisti di nascosto, come i latitanti, solo per farlo e pentirci subito dopo.

Perché fa più male quando ami e i baci li devi rubare.

Fumavo tantissimo, al punto che tutti i miei soldi finivano lì, e i lunedì mattina non facevo colazione se non me la offrivi tu.

Quando mi lasciavi e mi rinfacciavi i miei difetti, ti ricordavo i periodi in cui volevi sempre farlo ed eri fastidiosa.

Il sesso con te era bello, ma non era il fattore determinante.

Tu valevi di più.

Avevi otto in tutte le materie umanistiche.

Eri uscita con novantuno da quel liceo che odiavi tanto.

Ti ricordavo quando in treno mi toccavi davanti a tutti, quando a tavola, davanti a mio padre, con tono malizioso dicevi "andiamo di sopra".

A volte sembravi una bambina viziata che non accetta rifiuti. Non potevamo stare seduti sul letto che cominciavi a spogliarmi. Discutevamo spesso: "Ti faccio schifo, tu non mi vuoi!" urlavi, ma io oltre a quello volevo anche parlare.

Non solo ascoltare.

Dico sul serio.

Tu valevi di più.

Vedere, non solo guardare. Condividere qualcosa oltre allo stare vicini.

Noi in quei momenti non ci dicevamo tutto, come chi si confessa e tiene qualcosa per sé, come chi dice a un barbone "non ho niente" e invece sta andando a comprare le sigarette.

Ridevamo dei miei tentativi goffi, quando non riuscivo a penetrarti a luci spente, quando, leccandoti le parti intime, la mia inesperienza ti graffiava con i denti, delle mie mani fredde sui tuoi fianchi, delle posizioni improbabili, di quando ci davamo forte e sbattevamo la testa contro il muro e dovevamo fare piano perché tuo padre dormiva. Schiacciati contro la parete, con i pantaloni scomodi alle caviglie e le maglie addosso.

Eravamo dei fuggitivi.

L'odore di sesso che sentivamo solo quando, dopo essere andati in bagno, rientravamo in camera.

Che di spalle eri così bella, che rimanevo lì, di comune accordo, a compiere le mie funzioni vitali su scala ridotta.

Stavamo bene insieme, anche se spesso mi respingevi come il mare fa con i legni e gli assorbenti sulle spiagge di Scalea.

Perché per me tu eri l'acciaieria di Terni per Narni durante il boom economico.

Scopavamo di pomeriggio con le tapparelle abbassate e la porta chiusa a chiave.

Potevamo farlo solo nelle nostre stanze, perché avevamo case affollate, genitori imprevedibili e camere vicine.

Gianluca tornava sempre prima dal lavoro e, anche se in camera mia non entrava mai, io mi preoccupavo lo stesso, perché bastava una porta chiusa a chiave per far sì che si accorgesse di me.

Perché mi ha sempre rimproverato, e mi rimprovera tutt'ora, quando lascio il mondo fuori, che "le bende vanno messe sulle ferite, non sugli occhi, devi essere più forte!".

Io mi chiudo a chiave perché non mi fido più.

Perché tutte le persone che ho conosciuto e conosco sono come il frigo di casa, che resta pieno la prima settimana e poi ci sono solo le cipolle che mi fanno piangere per le restanti tre.

Faccio fatica a gestire i rapporti umani, perché mi hanno insegnato che bisogna dare tanto per ricevere molto, ma non l'hanno insegnato a tutti.

Dovrei studiare e invece studio un modo per non pensarti.

E ti scrivo ancora, anche se poi non invio nessun messaggio, perché il mondo come piace a me sei tu. Perché alle elementari, il primo settembre del primo anno, sapevo già che sarei diventato un grande amico del mio compagno di banco. Come con te, che ti ho amata fin da subito, anche se ora fingo di essere solo un amico, mettendo a tacere quel passato ingombrante che ci ha visti compagni di vita. Perché tutte le persone che mi ricordano te, le caccio via. Perché tutte le persone che mi ricordano te, le caccio via?

E ora aspetto che non me ne freghi più niente. Come hai fatto tu che, quando è finita, hai voluto subito metterti alla pari con il mondo. Ed è giusto che provi anch'io a farlo, ma il tuo pensiero è fisso nella mente, come un occupante abusivo. Ma sono stufo di pensare a cose che non accadono, stufo di pensare che sei stata la maniera più logica per misurare la mia vita.

"Facciamo l'amore?" ti chiesi un giorno.

"Adesso?"

"Addosso."

MI HAI IN PUGNO, TI HO NEL CUORE

Oggi fingo di non vederti, evito il tuo sguardo quando me lo posi addosso.

Come quando evito di guardarmi nei vetri per strada perché non mi piaccio.

Tengo gli occhi fissi davanti a me e mi dico "non farlo, non voltarti".

È così difficile guardare dove non sei tu.

A distanza di sicurezza, mi volto per poco mentre tu hai già ripreso a vivere e mi sento da buttare.

Mi hai in pugno, ti ho nel cuore.

Sai ancora disintegrarmi in un momento.

Quando mi perdo perché non conosco i nomi delle vie, tu sei ancora il luogo in cui mi ritrovo.

I miei amici, invece, le loro ex, quando le incontrano, le salutano e non capisco come facciano.

Io non saprei dirti ogni volta "addio di nuovo".

Vorrei avercela anche io la forza che hai tu quando mi guardi, ma è più facile fingere di non vederti, perché non voglio sapere come mi guardi.

Se mi vuoi dire qualcosa, se cerchi conferme.

Ho imparato che gli addii non vanno risvegliati. Che è frustrante quando assomigliano tanto a un arrivederci.

Mi guardi, ma non mi sfiori davvero.

Tu non mi manchi, tu mi levi.

Mi levi il respiro, la voglia di alzare gli occhi, il tempo per pensare ad altre cose.

Perché se tu mancassi, io non avrei un vagone.

Ma tu mi levi e io non ho binari per vivere.

NON SOFFRIRE PER ME, CI PENSO IO

C'erano giorni in cui, usciti da scuola, allungavamo il giro e passavamo per le vie del centro. Mamma si fermava davanti a tutte le vetrine. Comprava poche cose. Cose che somigliavano ad altre che per me aveva già.

"L'accumulo di oggetti simili è indice di un vuoto che si vuole colmare" l'ho letto da qualche parte.

Lei non era una persona che rischiava.

Raschiava.

Quel poco che le veniva dato le bastava.

Me lo leggeva in faccia che non riuscivo a capirla.

"Sono una donna, è normale" diceva.

Rideva come una ragazzina.

Mi accarezzava la testa.

Davanti allo specchio, si appoggiava addosso i vestiti e si osservava di profilo. Non li provava mai, anche se i commessi le indicavano i camerini. Non la capivano nemmeno loro.

Diceva "mi sta", "va benissimo così" e non aggiungeva altro.

Pagava i vestiti con la carta di credito, non girava mai con i contanti. A casa poi li provava e non sempre aveva indovinato la taglia.

Quel suo modo di scegliere le cose, non l'ho mai capito. Con Gianluca, secondo me, ha fatto la stessa cosa. Ha fatto in modo che all'inizio quel sentimento la sfiorasse soltanto, pensando "mi sta".

Senza mai usare la testa.

Senza mai spogliarsi.

Senza finirci dentro.

Davanti allo specchio, accompagnando i capelli dietro all'orecchio, si era convinta che certi spazi li avrebbe riempiti crescendo. Che gli abbracci sarebbero stati cuciture. Era così lei, guardava le sigarette finché si consumavano e prima di gettarle a terra ci pensava un po'. Poi le strozzava dolcemente con il piede.

L'amore non è un paio di scarpe.

Se non ti stanno, resti fuori e se sforzi ti fai male.

L'amore è un vestito che indossi convinta di essere bellissima. Che metti sotto il giubbotto e senti solo tu. Che riconosci solo tu nel tempo, tra le foto che ti fanno pensare ad alta voce "ma com'ero vestita?".

Com'era vestita quando papà l'ha fregata?

Le avrà detto "sei bellissima" e lei avrà pensato "va benissimo così".

Avrà pensato "non se n'è accorto che io scelgo come se mi avessero già scelta".

La fregatura è quando la fiducia assomiglia tanto all'amore, ma le persone non sono abiti, non aspettano che cresci, che riempi gli spazi in silenzio.

Le persone ti ricordano che non sei abbastanza, che possono fare a meno di te.

Le persone sono come le scarpe.

Mamma era una donna fragile, si rompeva in silenzio.

Quel genere di persona a cui chiedi "tutto ok?" e non credi mai alla risposta che ti dà.

Lei diceva "mi sta" e intendeva "mi starà".

Diceva "amo tuo padre" e intendeva "non posso avere di meglio".

La fregatura è quando la fiducia assomiglia tanto all'amore e lei si fidava di papà, credeva che sarebbe cresciuta dentro quel sentimento, che quel vestito, un giorno, le sarebbe stato bene.

"Enri." Mamma, prima di dirmi qualsiasi cosa, mi chiamava sempre per nome.

"Ti ho mai raccontato la storia dei fiumi? Ogni fiume, per arrivare al mare, sceglie un percorso tre volte più lungo di quello che farebbe se andasse dritto. I fiumi non sono matti, è la loro natura che li spinge a scegliere una strada tre volte più lunga del normale. E se ci pensi, se esiste un senso per loro, per tutto quel girovagare continuo, forse ne esiste uno anche per noi. La trovo una cosa rassicurante, non credi?"

TI AVREI AMATA ANCHE SENZA AMORE

Scendevi le scale perché non prendevi gli ascensori. Dicevi "non è colpa tua, tua madre ti vuole bene" e per distrarmi mi portavi in giro per pomeriggi interi a staccare con le chiavi gli adesivi di estrema destra dai pali. Sorridevi e camminavi, coi capelli che ti finivano sugli occhi.

Parlavi poco dei tuoi problemi e io non ti chiedevo mai nulla.

Parlavi di periodi storici lontani come se li avessi vissuti. "Che se ci fosse ancora il Che..." dicevi mentre facevi su l'ennesima canna d'erba. Perché tutti i tuoi soldi finivano lì, e il sabato sera, invece di andare al cinema, finivamo in mezzo a sconosciuti solo per fumare.

In fondo la cosa più importante in quel periodo era restare lontano da casa, come chi imbocca l'autostrada per sfuggire da una città senza amici.

Staccavamo soddisfatti quegli adesivi, perché per noi la sinistra non era un'utopia.

Per noi era un'idea.

Il portachiavi con il volto rosso del Che ce l'ho ancora. Quello di Paolo, mio nonno, che me lo regalò per il quattordicesimo compleanno. Non mi piacque subito, però, come era successo per il mio nome, che da bambino detestavo tanto perché ne desideravo uno che suonasse americano, tipo quello dei miei eroi preferiti.

Agli sconosciuti dicevo che mi chiamavo Henry, storpiando il nome di Potter.

Avevo undici anni.

"Guarda che Enrico è un nome importante" mi diceva mamma, quando fuori da scuola mi salutavano con il nome che mi ero scelto.

Alda era cresciuta con il poster di Berlinguer in camera.

Davanti alla tele, l'ultimo dell'anno, il nonno le raccontava, con particolari sempre diversi, l'ultimo comizio a Padova, prima della morte del PCI.

"I comunisti hanno dimostrato anche negli ultimi mesi di sapersi battere per garantire le libertà..."

Era l'unica frase che riportava esatta e ricordava perfettamente, le altre erano frutto della sua fantasia.

Lo raccontò anche a me, poi.

Una sera c'eri pure tu e lo fissavi come chi cerca le stelle. Eri concentrata mentre parlava, mi dicevi che ero fortunato quando io invece in camera mi scusavo delle sue troppe parole.

"Mio nonno parla tantissimo, scusami, è che quando vede persone nuove si esalta, è fatto così."

"Io l'avrei ascoltato per ore. *I comunisti hanno dimostrato anche...*" mormoravi pensierosa.

E sporgendoti fuori dalla finestra perché in casa non si poteva fumare, pensavi ad alta voce "ci hanno circondati di chiese e fascismo. Per entrare in una dittatura bastano gli applausi, ma per uscirne ci vuole almeno un morto".

Certe cose le capivi solo tu, nelle sere in cui non volevi essere capita.

Mi chiedevi di non diventare un padre come il tuo, che per essere felice con la propria famiglia viveva nella perenne attesa di qualcosa, di un derby vinto, del buono o cattivo umore, dell'approvazione del suo capo.

Mi chiedevi di non diventare un padre come il mio, che di sua moglie aveva capito poco e niente.

Avevi il collo da baci sul collo e ti nascondevo la sciarpa mentre studiavi.

Quando non volevi tornare a casa, facevi di tutto per perdere l'autobus.

E te lo lasciavo fare.

Quando non mi volevi vedere, facevi di tutto per perdere l'autobus.

E te lo lasciavo fare.

Perché ti avrei amata anche senza amore, con tutto il dolore possibile, come ha fatto mia madre con papà.

Quando venivi da me, cercavamo sempre di mangiare in camera, perché in cucina, se non fosse stato per la televisione e la politica, i miei genitori non avrebbero avuto nulla di cui parlare. E noi ci sentivamo in imbarazzo, stretti tra due fuochi silenziosi. Sicuramente ti chiedevi come riuscissero a dormire insieme, a respirare sullo stesso letto, a fissare lo stesso muro, ad avere lo stesso figlio.

C'è chi dopo un po' non riesce più a farsi ascoltare, anche se urla, chi non ha più nulla da dire e continua a stare insieme al proprio compagno, nonostante tutto, perché crede nelle sconfitte incoraggianti, ma la verità è che ha paura della solitudine.

Che poi l'errore sta nel credere di essere simili solo perché si è stati vicini.

Coppie che ricordano l'Inghilterra e l'Australia, paesi dove si parla la stessa lingua, ma che si trovano comunque in due continenti diversi.

MORIRÒ E NON FINIRÒ SUI GIORNALI

Ho sempre avuto un viso pallido io, quel tipo di viso che se si abbronza diventa di un rosso imbarazzante.

Mio nonno era convinto che fossi così perché mangiavo poca carne, e a tavola passava tutto il tempo a scrutarmi.

Quando mi alzavo prima di tutti, lui poi per il resto del tempo parlava di me. "Vedi che ho ragione io?" diceva a mia mamma perché papà era già in sala davanti alla televisione.

Quando il nonno restava a mangiare da noi, lei cucinava con più impegno e il secondo era sempre a base di carne.

Anche il nonno in realtà aveva un viso pallido, ma lui era nato poco prima della guerra, quando a pranzo e a cena si mangiava solo polenta. "Polenta e qualcos'altro" scherzava lui.

Credo che i nonni si preoccupino così tanto per la salute dei nipoti perché sanno che non li vedranno crescere.

Stavo così bene nei suoi occhi.

Mi portava sulla canna della bicicletta e mi diceva i nomi delle vie.

Mi chiedeva "vuoi tornare a casa?" perché si divertiva a sentirmi dire "no".

Così esile che poteva rompersi nei miei abbracci.

Sottile come i suoi sorrisi che gli riempivano di rughe il viso. Aveva mani increspate dal dolore, ma sapeva accarezzare.

Mi aspettava sulla bicicletta fuori da scuola e mi chiamava agitando la mano.

La prima volta che venne a prendermi, il secondo giorno di scuola, mi disse "mamma oggi non può" e fu così per tre anni.

A casa del nonno, in quella cucina senza televisione né musica, c'erano quattro sedie e noi ci sedevamo sempre negli stessi posti. I piatti si ripetevano e anche i suoi discorsi.

Criticava la scuola e questa democrazia fascista fatta di consumi.

Diceva di filtrare tutto quello che m'insegnavano, perché troppe cose non erano vere.

"D'Annunzio non era fascista!", "ma vi parlano mai di Tommaso Landolfi?"

Sosteneva che le cose non sarebbero più cambiate, perché oggi le rivoluzioni le fa chi alza la voce in piazza, mentre prima le rivoluzioni le facevano i poeti.

Mia madre, invece, aveva un volto delicato, era una bella donna, capelli castani, pelle algida, di sinistra. Paolo avrebbe aggiunto "della vecchia sinistra! La sinistra non esiste più!"

Alda si rivolgeva sempre un sorriso allo specchio. Si guardava compiaciuta le gambe e la schiena e poi si chiudeva la porta alle spalle.

L'ultima volta che l'ho vista, non si è fermata prima di uscire, non si è guardata, nemmeno per un secondo. Aveva un volto pensoso, per niente delicato.

Non era la prima volta che assistevo a quella scena. Aveva già pensato e provato ad andarsene.

Io ero in mezzo al salotto, non chiesi nulla, sapevo già. Non sapevo però che sarei cresciuto in una famiglia che poi si sarebbe divisa.

Come la vecchia sinistra.

In una casa che non sarebbe stata più la mia. Perché quando il nonno morì, ci trasferimmo a casa sua.

Era mattina presto quando Gianluca mi chiamò per dirmi di raggiungerlo in ospedale.

Appena arrivato, domandai di mio nonno all'ingresso. Il signore alla reception mi chiese se ero un parente e risposi a testa bassa di sì. Mi disse che dovevo aspettare e restai in sala d'attesa fino alle due.

Quando entrai, papà era già lì, seduto su una sedia, voltato di spalle. Provò ad abbracciarmi, ma io mi feci istintivamente indietro. Non ero lì per lui e non doveva aspettare quei momenti per abbracciarmi, c'erano state altre occasioni.

Altre vite.

Gli uomini non si toccano. Mi aveva cresciuto così.

Mamma non sapeva ancora nulla, non volevamo che si preoccupasse.

Negli ultimi mesi di vita del nonno, lo avevamo portato spesso in ospedale ma era sempre tornato a casa con noi.

Quella volta non fu così.

Dormiva con dei tubi che gli entravano e uscivano dal corpo, con la fronte rivolta verso il soffitto e le braccia lungo i fianchi. Aveva le labbra screpolate e ci avevano detto che stava dormendo da più di due ore.

Non cambiò mai posizione.

Rimasi lì a guardarlo fino a quando non mi mandarono via. Papà restò a dormire in ospedale, io non potevo perché il giorno dopo sarei dovuto andare a scuola.

Per messaggio mi scrissero che non ce l'aveva fatta.

Un tumore l'aveva consumato in meno di un anno.

Piansi.

Avevo perso il mio migliore amico.

Lui non era un tipo da baci, era un rivoluzionario,

aveva visto la guerra e usava espressioni spensierate per allontanare il pensiero dalle cattiverie umane.

Anche se era malato, voleva restare da solo. In casa sua.

Era attaccato alla vita al punto che la frase che mi ripeteva di più era "ho paura di morire per la prima volta, sai?" come se io potessi fare qualcosa.

Anche lui era uomo di poche parole, come papà. Ma, a differenza sua, mi ascoltava. "I giovani vanno ascoltati" diceva così.

Non era un uomo saggio, ma diceva quello che pensava.

A casa non c'era nessuno ad aspettarlo. Mia nonna Serena era morta dieci anni prima per un arresto cardiaco. Paolo, negli ultimi mesi di vita, parlava poco e a bassa voce. Non ce la faceva più.

Quel giorno, mentre andavo in ospedale e poi tornando a casa, pensai per tutto il tempo a come deve essere affrontare qualcosa che non ha alternative, sapere che non potrai più replicare e che non ti deluderanno più.

Pensai "morirò e non finirò sui giornali".

Pensai che sarei morto con un filo di voce parlando a me stesso, facendo poco rumore.

Che mi sarei odiato per tutte le volte che non ho provato, per tutte le volte che non ho resistito.

Che sarei rimasto solo come le cabine telefoniche che poi sono state rimosse, quando tutti guardavano Rai Uno in prima serata.

Pensai che avrei rimpianto tutte le volte che ho detto "addio" piangendo, tutte le volte che ho detto "anche io", trattando l'amore come un numero dispari.

Pensai a Pasolini, che mia madre amava tanto.

Alle poesie di mia madre.

Pensai che i giornali non finiranno quando morirò, il mondo non si fermerà nemmeno nei minuti di silenzio.

Che sarei morto, perché sono nato.

Che l'ultimo dei miei giorni avrei sofferto per tutte le volte che ho fatto finta di nulla, come i sindacalisti.

Penserò alle facce che ho fatto quando dovevo dire qualcosa e sono stato zitto.

Penserò che nessuno ha avuto i miei occhi, nessuno ha avuto il mio naso, nessuno ha avuto le mie mani e che mi sono comportato come tutti gli altri, senza tutti gli altri. Alle leggi che non amano la vita, alle vite che non hanno avuto un riscatto.

Penserò ai giorni più belli che poi si sono spenti come quelli che non ricordo.

Perché la notte succede e basta, compie la sua natura, mentre io ho fatto sempre ciò che mi veniva chiesto.

Penserò agli anni sprecati.

Ai mozziconi di sigarette, di emozioni, di sentimenti gettati a terra, senza alcun riguardo.

Che da qualche parte ho sbagliato.

Che ho sbagliato anche quando mi sono messo da parte.

Alle volte che non avevo il biglietto e sono partito lo stesso.

E penserò che avrei dovuto vivere sempre così. Senza aspettare, senza pensare, senza fermate.

Penserò a quando mi hanno preso per mano e ho chiuso il pugno.

A quando mi hanno chiesto scusa e ho chiuso il cuore.

A quando mi hanno detto "torno" e ho chiuso una porta.

A quando mi hanno aperto una porta e per paura sono rimasto in un angolo a guardare.

Alle giornate di sole in cui ho chiuso un po' gli occhi, alle giornate di pioggia in cui ho chiuso un po' gli occhi.

A quando ci siamo baciati la prima volta e ho chiuso un po' gli occhi.

Pensai: ho paura di morire per la prima volta.

SI SONO ARRESI

Alda mi spiegò tutto un sabato mattina.

Entrò in camera mia e disse che se ne sarebbe andata perché aveva bisogno dei suoi spazi, che papà l'aveva delusa già troppe volte.

Che il nonno era l'unica ragione per cui era rimasta e che ora poteva andarsene.

"In certi casi, non basta solo la buona volontà" disse anche questo.

Seguirono mesi confusi.

Liti.

Io non presi parte ad alcun processo decisionale, non fui interpellato nemmeno quando cambiammo casa.

Quasi tutti i parenti e i conoscenti parteggiarono per una delle due parti.

Io non ci riuscii, anche se Gianluca non era mai stato un padre con me.

Avevamo poco da dirci e quando provavo a raccontargli qualcosa, mi chiedeva di andare da mamma e tenerla per mano.

Con i figli degli altri, però, sapeva ridere e scherzare.

Per anni è stato la causa di ogni mia sofferenza e non se n'è mai accorto, manco una volta. Neppure quando per il mio undicesimo compleanno decisi che l'avrei aspettato prima di spegnere le candeline e lui non si presentò.

È struggente il senso d'impotenza che si prova nel vedere la tua famiglia che si sgretola, senza avere gli strumenti per poter fare qualcosa.

Immaginare che sarai ospite a casa di tua madre e che proverà a corromperti per far sì che tu accetti il suo nuovo compagno.

Seguirono mesi da separati in casa, perché la loro mentalità ipocrita li portava a considerare di più quello che avrebbero potuto dire di noi gli amici di famiglia che quello che stavo passando io, che non avevo nessun amico in famiglia.

Non sono contrario al divorzio.

Separare due elementi che non funzionano può essere solo un bene.

Sono contrario agli accordi, in amore.

Alda un giorno uscì di casa per non farvi più ritorno. Mise una valigia sopra il letto e in pochi minuti la riempì. Al resto ci pensarono gli avvocati. Salì su un taxi e se ne andò. Non ebbi il coraggio di dire nulla.

Non ne parlai con nessuno.

Non è vero che si soffre solo da bambini. Si soffre di più da adolescenti perché si è stati bambini e non si ha avuto la possibilità di poter impedire alla madre o al padre di partire.

Negli anni successivi, tutto ciò non sfociò mai in un confronto diretto con mio padre, perché mi attaccava per non essere attaccato, non voleva sentirsi colpevole, non voleva affrontare né me, né la verità.

Per un lungo periodo rimase a casa dal lavoro a fissare il muro. Nascondeva le bottiglie di whisky dietro al divano e nel cestino del bagno, sotto al letto, i bicchieri che riportava in cucina la donna delle pulizie. Non riusciva a salire le scale, non riusciva a finire le giornate. Usciva presto e tornava tardi. Quando provavo a chiedergli "dove sei stato?" rispondeva "dall'avvocato".

Filtrava l'infelicità con la severità.

Come chi ti fa un torto perché ne ha subito uno.

Le volte che era a casa, mi chiedeva dal salotto se avevo fatto i compiti, se stavo per uscire e dove stavo andando, se saresti passata a trovarmi e se avessi dormito con me.

Mamma non sopportava più i vizi di Gianluca, il suo continuo mentire a se stesso, a noi. Aveva parcheggiato il suo amore in un quartiere difficile.

"Quando ti fai del male, non lo fai solo a te stesso, ma anche a chi ti sta vicino" mi diceva, in cucina, mentre nel cestino della plastica trovava le bottiglie di vetro che Gianluca aveva provato a mettere a tacere.

Beveva abitualmente e quando esagerava si addormentava.

Mi faceva ridere, perché mentre provavo a svegliarlo rispondeva sempre "non sto dormendo".

In quei momenti mi chiedevo se anche al mio matrimonio sarebbe finito così.

Tu ci ridevi su, ma io volevo scoprirlo insieme a te.

Quando venivano ospiti o andavamo a mangiare dagli zii, a un certo punto ci ritrovavamo con papà che dormiva sul divano e ci sforzavamo di far finta di nulla.

In macchina, quando rientravamo a casa, mamma piangeva e quando le chiedevo "cosa c'è, mà?" rispondeva sempre "è che odio guidare".

Ma la sentivo anche in camera sua. In bagno. Anche al lavoro, credo piangesse.

"Non eri così!" gli urlava, sfinita.

Perché quando ti ostini ad amare qualcuno a tutti i costi, ti fai solo del male.

Gianluca, la domenica, beveva dall'ora di pranzo fino a tarda sera. Se si accorgeva che lo stavo osservando, mi diceva "non preoccuparti". E poi hanno divorziato.

E divorziare, tra tutte, è stata la cosa più facile.

Separarsi la più difficile, perché Gianluca era una parte, un pezzo di Alda, non la sua metà, nonostante dormisse ancora nella sua metà del letto. Perché se fossero stati mezzi, il dolore si sarebbe diviso in due, ognuno avrebbe sofferto per sé, e invece non è stato così, papà ha sofferto per lui e per lei, e la mamma ha sofferto per lei e per lui, e forse anche per me.

Soffrire ci rende consapevoli, ci fa capire che sono più i giorni in cui abbiamo fatto finta, di quelli in cui abbiamo sorriso davvero, perché quando ci accorgiamo di non poter esser felici domani, pensiamo a quanto lo siamo stati ieri. Dimenticandoci che l'oggi non lo ritroveremo in nessun calendario, nemmeno adesso.

Perché a forza di "si stava meglio, quando si stava peggio" ci siamo abituati a stare male, a non fare nessuno sforzo, perché a forza di "si stava meglio...", non saremo mai adesso.

E continueremo a raccontarci di quando riuscivamo a perdonarci tutto, di quando vedersi tre volte a settimana ci sembrava poco, di quando ci addormentavamo sul divano con la tele accesa e ci svegliavamo che qualcuno l'aveva spenta.

I miei hanno fatto così, hanno lasciato passare il tempo senza mai fare uno sforzo, convinti che fosse la cosa migliore.

Come se il male esistesse solo dopo aver chiesto scusa.

E si sono spenti, senza opporre resistenza.

Hanno reso la loro vita insieme una vita qualunque, senza ormai più ore da condividere, hanno reso i loro ricordi un modo di vivere.

Si sono arresi.

L'AMORE È ESSERCI,
LA FELICITÀ È ACCOMPAGNARE

Ci vuole coraggio ad aspettare chi non torna, ad amare comunque una persona che sembra cambiata, che, se è vero che è diversa, allora chi stiamo amando?

Ho imparato che le persone amano le cose che non possono cambiare, per questo molte vivono nel passato. Per questo siamo noi a dare i nomi ai nostri figli.

E ci diciamo per una vita "non cambiare mai" e poi ci lamentiamo che siamo sempre gli stessi, e ci diciamo per una vita "non cambiare mai" senza pensare che così non si migliora.

E forse non siamo poi così coraggiosi perché ogni volta che ci lasciamo lo facciamo perché c'è qualcun altro che ci vuole di più, che ci chiama di più, che ci ascolta di più, perché non c'interessa l'amore, c'interessa essere felici.

L'amore è esserci, la felicità è accompagnare.

E noi amiamo essere accompagnati, è una cosa che c'è rimasta da bambini.

Perché non c'interessa essere migliori, vogliamo sentirci solo meglio.

Che a forza di parlare dei miei e di noi, sembra che le nostre storie siano state simili nelle dinamiche, nelle cose non dette, ma non è stato così.

Perché loro non si amavano tanto, ma si sono amati per tanto tempo, invece noi non ci amavamo quasi mai, ma ci siamo amati molto.

Perché oggi Alda odia Gianluca mentre io, invece, odio solo tutte le volte in cui hai avuto ragione.

L'AMORE NON PROMETTE RISULTATI

C'è stato un periodo in cui ogni serratura che scattava e ogni porta che si apriva era mamma che tornava.

Ogni luce accesa in casa, vista dalla strada, era lei che riponeva le sue cose al loro posto, seduta sul letto con la valigia ai suoi piedi.

Mi ero promesso che se mai fosse tornata non le avrei fatto domande, che mi sarebbe andato bene così.

Dormivo per cessare d'esistere.

Stringevo gli occhi e pensavo a quando le dicevo "tu hai gli occhi più belli" e lei rispondeva scherzando "Enri, guarda che devi scegliermi perché i miei occhi sono belli e basta, non perché sono più belli di altri occhi".

Il primo "ti amo" l'ho detto a mamma quando avevo sei anni.

Non sapevo bene cosa significasse, ma dalla sua reazione capii che era una cosa bella e ne rimasi sorpreso. Io, fino a poco prima, l'avevo sempre amata a gesti.

Avevo sentito quella frase in una pubblicità di prodotti per la casa. C'era una ragazza che non riusciva a pulire a fondo il pavimento e, chiedendo aiuto alla vicina, aveva scoperto un detersivo così efficace che se ne era innamorata.

Quel giorno, mia madre mi baciò sulle labbra e prendendomi in braccio disse "anche io ti amo".

L'amore che si prova per un genitore esiste a prescindere, non nasce dopo un apprezzamento.

I genitori mettono al mondo i figli.

I figli rimettono al mondo i genitori.

Io amo mia madre mentre mio padre ha perso la mia fiducia.

La prima cosa che ho imparato da bambino è che l'assenza di un genitore è parte della vita.

Che si può nascere meno fortunati e crescere meno amati. Mia madre ora vive a New York. Si è trasferita per lavoro subito dopo aver ottenuto il divorzio e ogni tanto mi scrive.

Mi chiama sempre meno.

Le telefonate si accorciano con il passare del tempo e in città ci si prepara all'inverno.

Brucia ora come allora il senso di abbandono.

Una mattina, mamma disse "io vado, devo andare" e mi lasciò lì, in mezzo al salotto, per poi salire su un taxi che la portò via.

Per i miei amici, il fatto che i miei genitori si fossero separati era una cosa normale.

Mamma non ne poteva più, non aveva risparmi e suo figlio era diventato un uomo, si era fidanzato con una ragazza di poche parole, che a tavola non gradiva i suoi piatti.

Alda mi partorì che aveva più o meno la mia età. Dopo la maturità si trasferì a casa di papà, un appartamento che lui aveva preso in affitto per stare lontano dai genitori, che non ho mai conosciuto. Non erano in buoni rapporti e non mi ha mai portato a Genova da loro.

I miei genitori hanno sempre lavorato entrambi. Il pomeriggio, mia madre dava ripetizioni e la mattina insegnava in due licei. Avevamo solo una macchina e quindi si muoveva in bici. Con le colleghe fuori da scuola rideva di cuore, rifiutava i passaggi quando pioveva e, se poteva, restava nell'aula insegnanti a correggere i compiti. Mi scriveva su WhatsApp che faceva tardi e io sapevo che era lì.

Io non ho mai visto i miei baciarsi.

Abbracciarsi sì, e poi papà la baciava sul collo e lei socchiudeva un po' gli occhi, come a dire "resta".

Quel gesto lui non l'ha mai capito.

A causa del lavoro, hanno iniziato a vedersi sempre meno. In casa s'incrociavano solo la sera e spesso papà rientrava già ubriaco. Le rivolgeva la parola solo per chiederle dei soldi. Solo per riferirle che nel week end non ci sarebbe stato.

I pianti improvvisi che crollavano come le frane, la mamma con la fronte appoggiata sul tavolo e un braccio a nasconderla dal mondo che non doveva vederla.

"Sei più bella quando sorridi, mamma" le dicevo.

"Io non voglio essere bella, voglio essere felice. È meglio."

Sposati non è sinonimo di uniti, uniti non è sinonimo di genitori.

I bambini non hanno bisogno di genitori sposati, ma di genitori felici.

Mamma era circondata di uomini: me, Gianluca e suo padre.

Ma il nonno era l'unico che l'ascoltava davvero, anche se quando parlava alzava la voce, anche se non la guardava mai negli occhi.

Quando ci ha lasciati, è stato come quando leggi un libro, volti l'ultima pagina e non c'è più niente.

La mattina della maturità, in macchina davanti a scuola, mia madre mi disse "essere felice, è questo che conta e, se questo manca, si può e si deve fare a meno dell'amore. Più che una vita senza sentimenti, a spaventarmi era una vita da sola. Perché quando hai qualcuno vicino, puoi incolpare lui delle tue solitudini, del tuo amore dato che per te è tanto, ma che

non è mai abbastanza. L'amore non promette risultati. Amarsi sì. Il difficile è capirlo. Credo che sia giun-
to il mio turno. Tuo padre non può essere più importante della mia felicità".

FINCHÉ LA VITA CI UNISCE

Non sappiamo gestire le relazioni umane e ci condanniamo con i "finché morte non ci separi".

I miei hanno fatto così. Annullando le loro identità e le loro passioni pur di convivere. Perché per stare in quella casa e sostenerne le spese, hanno lavorato il doppio. Si svegliavano che erano già stanchi.

Tornavo a casa che non c'era nessuno. Mangiavo e subito dopo andavo a fare compagnia al nonno.

Io non ti avrei sposata. Preferivo dirti che l'avrei fatto un giorno, aggiungendo che il futuro è sempre meglio che non arrivi mai.

Avevo capito che le cose che non avevo erano belle per questo.

Che era meglio guardare lontano che essere lontano.

Che essere vicini non mi bastava, perché vicini è comunque una distanza.

L'avevo capito nell'inutile attesa di una canzone dei Subsonica alla radio.

Stavo in silenzio. E intuivo col passare del tempo che avresti scardinato tutti i miei superlativi assoluti.

Che preferivo scoparti, perché l'amore non si fa, si è.

E tu non dovevi dimostrarmi nulla, dovevi essere.

L'amore non deve dimostrare.

Ero fottuto perché quando incontri quella persona che poi diventa il luogo dove torni appena puoi, sei fottuto.

E ci torni anche solo con la mente, mentre fai l'amore con un'altra, ad anni di distanza.

Ti scrivevo "ti comprerei una casa vicina alla mia, solo per guardare fuori, in attesa che tu esca, senza che tu esca dalla mia vita".

Il sapore di una persona non lo ritrovi, nemmeno nelle gomme da masticare.

Lo so per esperienza.

E che si fottano, questi che condividono le frasi di "Grey's Anatomy" e non hanno mai letto Murakami.

E che si fottano questi che da un giorno all'altro ti lasciano nella stessa condizione degli accendini nelle cucine con il fornello ad accensione automatica.

Che si fottano 'sti cristiani che amano il matrimonio.

Io non ti avrei mai sposata, non l'avrei mai neanche pensato un "finché morte non ci separi", perché ancora oggi io vicino a te non saprei morire, perché il primo amore non si sposa mai.

Siamo come i disordini nelle nostre tasche, nelle nostre macchine piene di chilometri, litigi inutili e scopate.

Non siamo come le nostre case che abbiamo comprato non per essere felici, ma per essere come gli altri.

E a Gianluca pesava il giudizio dei vicini, che sono stati vicini solo quando c'è stato il terremoto. Che ci hanno abbracciati quando Paolo se n'è andato per poi non farlo più.

Lavorare il doppio o amarsi il doppio? Il doppio comunque è troppo.

Che se si fossero detti "finché la vita ci unisce" si sarebbero risparmiati di dormire insieme quando non si sopportavano.

Di scopare per testare l'amore.

Perché non è vero che le parole non sono niente, perché quando mi hai detto "addio" ho toccato i minimi storici.

Perché la morte non separa soltanto, affligge.

Perché la vita oltre a unire può anche riparare.

SIAMO STATI IN SILENZIO,
SIAMO STATI UN CASINO

Avevo perso l'accento del Sud.

Eravamo tornati a casa dalle vacanze da una settimana e il caldo in città era insopportabile. Mancavano pochi giorni alla fine di agosto, i parcheggi erano ancora mezzi vuoti e il venerdì sera in centro si riusciva a camminare senza scontrarsi. Il mare di Praja ti era rimasto così impresso che paragonavi il nostro alle pozzanghere.

Uscivamo poco di casa, passavamo ore nel letto e pranzavamo in terrazzo. Spostavi con il cucchiaio il riso agli angoli del piatto, mangiavi poco e ogni tanto lasciavi cadere la cenere della sigaretta a terra guardando dalla parte opposta come per non sentirti in colpa.

Non avevamo tanti amici. Quelli della nostra età partivano la mattina per la spiaggia e rientravano a casa la sera tardi, così per tutta l'estate.

Non volevamo mischiarci.

Passavamo giornate intere in infradito, tanto che quando pioveva era faticoso anche andare a fare la spesa.

La nostra era una città di figli di genitori influenti con il futuro in tasca, dove i ragazzi facevano il possibile per omologarsi e non per ottenere un minimo d'indipendenza. Noi tutto questo cercavamo di evitarlo, anche a scuola.

Eri bella, non avevi bisogno di cercare un gruppo, le persone ti si avvicinavano senza che tu facessi niente.

Mi arrabbiavo perché quando gli altri ti guardavano, tu alzavi lo sguardo.

"Che ho fatto stavolta?" dicevi quasi urlando.

"È che sei così bella" pensavo quasi urlando.

"Se mi dici che sono bella guarda che non mi fai felice. Non mi serve proprio a nulla. Come se esserlo servisse per stare meglio nel mondo" avevi risposto con tono infastidito davanti allo specchio, nei camerini di Zara, mentre provavi un vestito che ti finiva sopra le ginocchia.

Scopavamo che ti abbracciavo da dietro mentre ti piegavi in avanti.

Ci amavamo così tanto che quando arrivavo in ritardo la cosa ti divertiva.

Avevamo sempre lo zaino in spalla.

Gli ultimi giorni di caldo in città, si passavano tra le panchine delle vie del centro, nessuno andava più al mare, qualcuno partiva fidanzato per la Grecia a finire gli ultimi soldi per tornare poco dopo, single.

Le biblioteche si affollavano e studiare diventava quasi impossibile, perché non c'era posto e nemmeno l'aria condizionata.

Settembre era mese di recuperi ed esami.

Di me che sparivo perché dovevo recuperare il debito in matematica.

Quando non c'ero, andavi a comprare il fumo da sola, dietro piazza San Francesco, e fumavi in cantina con la porta socchiusa.

In casa ci stavi poco, discutevi con i tuoi senza nessun margine di trattativa.

Tua madre ti aveva iscritta al Linguistico e spingeva per Giurisprudenza.

"Quella stronza vuole viversi la mia vita" dicevi e ribadivi spesso che tu non eri come tua sorella che giocava a fare la figlia perfetta. Tu avevi fame di esperienze e non ti vedevi a studiare tutta la vita per far felice tua madre. Tu saresti partita per l'Indonesia a venticinque anni.

Silenzi lunghi cinque minuti, sdraiati sul letto a guardarsi le ginocchia e il soffitto.

Riuscivi a ferirmi con poche parole e non ero pronto, la vita prima di te mi aveva sempre vestito leggero in fatto di sentimenti.

Mi chiedevo "cos'è 'sta sensazione?" ed era che mi mancavi.

I primi giorni sorridevi da riempire due vite, da scavalcare le paranoie.

Quando si discuteva, te ne andavi senza voltarti e io poi per il resto del tempo sentivo il cellulare vibrare anche se non era così.

Mi hai fottuto.

Tu e i tuoi sorrisi migliori che chi se li scorda, tu e quella cosa che mi capivi anche quando sembravi distratta.

"Non mi hai cambiato la vita e avrei tanto voluto che ci fossi riuscito. Tu mi dimostri che puoi cambiarmela e poi mi lasci così, per questo ti odio" avevi scritto alla fine di un lungo messaggio.

Non mi sono mai scusato per quella sera, quando mi hai detto che avevi un ritardo e ti ho fatta sentire in colpa. Eri entrata in casa senza fare rumore e a un tratto dicesti "non mi vengono le mie cose da due settimane" e io, da stronzo come sono, senza pensarci risposi "non è mio".

Te ne andasti spingendomi via.

Non piangevi mai davanti a me, dicevi "serve tanto coraggio per mostrarsi fragili agli altri".

E tu eri fragile, anche se non volevi mostrarlo.

La felicità lo è, sempre.

Chissà come facevi ad amarmi.

Io che non sono mai riuscito a sorprenderti.

Io che ho passato una vita intera a cercare di essere migliore degli altri paragonandomi a chi era peggio di me.

Io che mi affido alla logica e non alla realtà, io che mi amavi ed eri infelice.

Siamo stati le risposte che non vorresti sentire, siamo stati gli amori che finiscono senza nemmeno parlarsi, che iniziano senza doversi spiegare.

Siamo stati risate forzate per non pensare ai disastri, cerniere chiuse fino al collo come abbracci per non pensare al freddo.

Siamo stati in silenzio, siamo stati un casino.

Siamo stati vicini e siamo riusciti a mancarci.

Il tuo profilo migliore era quello del cuore, il tuo profilo peggiore, il tuo lato orgoglioso.

Abbiamo fatto l'amore senza spogliarci, la guerra senza toccarci, mille progetti in disaccordo.

Siamo ciò che buttiamo via, il coraggio mancato di diventare chi saremmo potuti essere.

Siamo stati l'ottimismo che ti dice che esiste un posto migliore.

Abbiamo sbagliato strada così tante volte che abbiamo smesso di ascoltare il cuore e ci siamo affidati ai cellulari, ai dubbi, ai conoscenti che ci dicevano che da soli stavano meglio. E noi abbiamo provato a scoprire se era vero e siamo stati stupidi.

Siamo stati sotto casa tua fino alle quattro del mattino con gli occhi pieni di sonno e il cuore pieno d'intenzioni.

Siamo stati fregati dalle bugie che raccontavamo così bene e che poi ci hanno fatto così tanto male da impedirci di provare ad amare ancora, come se ieri non fosse mai esistito.

QUANDO MI GUARDAVI
CONTAVO QUALCOSA

Tu non avevi perso l'accento del Sud. Te lo tenevi stretto come a voler dire agli altri che per un po' eri riuscita ad andartene.

Scopavamo che ansimavi e ti trattenevi mordendoti il labbro inferiore.

Ci amavamo che stavi in prima fila anche se eri in fondo al cuore.

La notte prima del primo giorno di scuola, dormisti da me. Fumammo tutto il tempo, risate deformate e lunghi sospiri ci tenevano svegli.

"I tuoi occhi sono belli come guardi" avevo detto. Stavi bevendo il tè. Amavi il tè verde senza zucchero, soprattutto di notte.

Ridendo rispondesti che non aveva senso come frase, ma che suonava benissimo.

Non sapevi che quando mi guardavi contavo qualcosa.

Fu l'anno in cui mia madre se ne andò. Mi comportavo come se tutto mi fosse permesso solo perché stavo soffrendo. Parlavo a sproposito. Mi lasciavi dandomi dello stronzo e tornavi qualche giorno dopo dandomi fiato.

"Siamo tornati insieme" iniziavano così tutte le conversazioni con i miei compagni di classe che il giorno prima ci avevano visti discutere davanti a scuola.

Mi tiravi pugni sul petto come a bussare a una porta.

Dovevamo amarci come chi non parla la stessa lingua, a gesti.

Quando ti ho conosciuta, ho pensato "potrei imparare", ma poi non è stato così.

Io non sono mai stato come le frasi che sottolineavi nei libri. Non sono mai riuscito a essere come le cose che vedevi e ti fermavi a osservare. Non sono mai stato attento, ho creduto che l'amore fosse quante volte mi pensavi e non cosa pensavi di me. Per questo avevo paura che mi dimenticassi.

Ho imparato che non c'è cosa peggiore che non essere scelti, quando nel cuore si ha già scelto, che averti amata tanto non basterà se ti ameranno meglio.

Ti ho guardata perché volevo essere visto, mentre ora ti guarderei per ore anche girata di spalle.

Certe cose che ci siamo detti, dopo di te, io non le ho più sentite.

Certi silenzi non li ho più ascoltati, quelle panchine dove finivamo a parlare non le ho più frequentate.

Il sindaco le ha fatte togliere per allontanare i barboni e gli immigrati dalla stazione.

Per allontanarti da me, forse.

E pensare che io credevo che non ce l'avrei mai fatta senza di te e invece sono ancora vivo, ancora vuoto.

Non ti ho mai chiesto in cosa potevo cambiare, perché avevo paura di non riuscirci.

Non ti ho chiesto di restare, perché a quel punto avevo già fallito.

Ho creduto che un bel fisico sarebbe riuscito a farmi dimenticare te che eri magra e avevi dita sottili.

Ma di più non sempre è abbastanza.

Da quando è finita mi comporto come se tu potessi guardarmi di nascosto, come se potessi arrivare da un momento all'altro, come se fossi dietro di me in autobus ad ascoltare le mie conversazioni telefoniche.

Ma tu non arrivi, tardi come sempre.

Tardi da sempre.

E ormai non mi manchi, se manchi da sempre.

Da quando è finita mi comporto come se tu ci fossi solo di notte. Parlo con te prima di dormire, a volte ti sorrido, altre piango. Altre sei così altrove che fatico ad allontanarmi dal letto e t'invidio perché tu sei così fottutamente brava ad allontanarti.

Irene, io non sono mai stato come le frasi che sottolineavi nei libri.

Io non sono mai riuscito a essere come le cose che vedevi e ti fermavi a osservare.

Poi l'accento del Sud l'avevi perso.

Raccontavi poco della tua vita prima di me, come a volerla dimenticare.

"Non è che se non ne parli, non esiste" avevo detto riferendomi a Manuel.

In camera tua avevi ancora delle foto in cui eravate insieme e in quasi tutti gli scatti sembravi felice.

Erano immagini di te che detestavi.

"Avevo tredici anni. A quell'età per me era difficile stabilire cosa è importante e cosa no. Lui mi sembrava esserlo. Aveva quattro anni più di me, io sembravo più grande, era l'anno in cui mia madre mi ha iscritto al liceo. L'ho conosciuto al caffè letterario. Praticamente passavamo tutti i pomeriggi lì io, le mie amiche e mia sorella, poi d'estate si andava al mare. Ma d'inverno e primavera si stava sui divanetti o nel giardino interno del caffè a far finta di leggere libri e a parlare di persone che in quel momento non c'erano. Manuel ci andava a studiare. Studiava e ascoltava musica, con le cuffie. Un giorno si è avvicinato a me con una scusa ed è riuscito pure a ottenere il mio numero di telefono. Mi sono innamorata di lui perché era più grande di me e poteva fare più cose, cose che non conoscevo. Era di una bellezza particolare, aveva sempre le mani in tasca, anche quando mi baciava. Uscivamo poco di casa, stavamo in camera sua, scopavamo praticamente sempre. Con lui ho perso la verginità. La prima volta sono stata male, avevo freddo alle gambe, cercavo i suoi occhi e lui guardava il mio corpo. Si vergognava a portarmi in giro quando c'erano i suoi amici. Andavamo da lui solo quando non c'erano i suoi, se no si stava in macchina, fuori città, nei parcheggi dei centri commerciali, di notte. Passava a prendermi sotto casa, uscivo con la scusa che sarei andata a studiare da una compagna che abitava nel nostro quartiere. Così per due anni. Mi ha mollata lui, per messaggio, per un'altra della sua età. Senza rendermene conto, ho smesso di mangiare, di andare agli allenamenti. Tu non lo sai perché è una cosa che non dico a nessuno, ma io fino a qualche anno fa giocavo a pallavolo. Mia madre si era convinta che avevo il fisico perfetto per quello sport e quindi mi aveva iscritto. I miei non erano mai a casa. Se ne sono accorti dopo un anno, a giugno, che stavo dimagrendo e che a scuola ero stata rimandata in due materie. Manuel continuava a frequentare il caffè, ci veniva con lei. Faceva finta di non vedermi, la baciava davanti a tutti, davanti a me. Io ero piccola. Quando certe cose non le hai mai provate, non sai come gestirle e quindi invece di mostrarmi impassibile me ne andavo tutta agitata, spingendo chi si trovava davanti a me, asciugandomi gli occhi. Quando discuteva con lei, mi scriveva, d'un tratto mi chiedeva di uscire e io ci cascavo. Il giorno dopo spariva, spegneva il telefono. Quando ci siamo conosciuti noi due, Enrico, io lui lo sentivo ancora. Quando mi scriveva, come una scema ci mettevo un attimo a rispondere, anche se volevo mostrarmi indifferente. Tu mi capivi, mi ascoltavi, mi tenevi la mano di fronte a tutti. Era una sensazione che non avevo mai provato prima, prima di te ero convinta che per amare davvero bisognasse soffrire, che i sentimenti fossero un segreto da custodire. Stavo male e non reagivo perché pensavo 'ognuno ha quel che si merita', ma non è vero. Enrico, ognuno ha quello che vuole. E io volevo lui insieme a tutti i suoi difetti, le sue assenze, a me. Quel dolore non l'ho meritato. L'ho voluto. Sembra assurdo, ma l'ho voluto con tutto il cuore. Prima che arrivassi tu, avevo tanta voglia di piangere e non lo dicevo mai. Avevo voglia di potermi fidare, ma non mi fidavo mai, perché la vita non risarcisce i danni e a crescere con le delusioni capisci che è meglio che le emozioni restino dove si trovano. Non volevo più rischiare, anche se, non so come, ero sempre riuscita a sopravvivere a chi si era fatto i cazzi suoi con il mio tempo, a chi mi aveva vista a pezzi e aveva usato le mie debolezze per ferirmi, a chi mi aveva lasciata e avrebbe voluto dirmi 'non saprai affrontarlo'. A quelli che mi dicevano che dovevo fidanzarmi per essere felice, rispondevo che non c'è cosa peggiore che abbracciare e non sentirsi stringere, non c'è cosa peggiore di essere felice per aver ottenuto una risposta a un messaggio che hai inviato due giorni prima. Dicevo che non c'è cosa peggiore di amare chi non ti ama e non ti lascia andare."

STARE MALE NON CAMBIA IL RISULTATO

Impari poi che stare male non cambia il risultato.

Che nella vita saranno le persone sbagliate a insegnarti qualcosa, che quelle giuste serviranno a ricordarti che non siamo sbagliati.

Impari poi che non esistono parole precise, che come chi si arrampica sulla roccia viva, agisci per sopravvivenza, non di conseguenza. Che se tu ora mi urlassi "fottiti", risponderei "ti amo" per non perderti di nuovo.

Lo impari dopo che non amerai più come quando avevi quattordici anni, quando non ti facevi domande e non avevi paura di scottarti.

Perché tanto poi si soffre sempre, per una cosa o per un'altra.

Ma a quell'età non lo sai, lo immagini solamente che le persone cambiano, che ti amano dopo uno sguardo e poi ti lasciano per un altro.

Impari poi che a sputtanarti non saranno le persone che conosci da poco, ma quelle che conosci da una vita, quelle che hai lasciato in camera tua mentre eri in bagno a lavarti, quelle che allungavi il giro per non lasciarle sole.

Impari a stare al mondo nei giorni in cui non ci vuoi stare. Impari che si può soffrire anche stando seduti, che non servono per forza le salite, che basterà un messaggio per annullarti.

La vita non ti insegna a trattare i sentimenti con distacco, a dire "ti voglio bene" quando invece ami.

Ho imparato da solo a non scompormi in pubblico, perché c'è chi fa delle tue ossa rotte un punto di forza.

Ho imparato da solo che in "ti voglio bene" c'è anche "ti voglio" e io *ti voglio* bene.

Che le persone che hai amato davvero non ti mancano subito, ti mancano nel tempo.

Impari che ci sono verità che non riesci ad accettare anche quando sono evidenti.

Impari a fartene una ragione o, almeno io l'ho imparato, ad accettare il fatto che tu provassi ancora qualcosa per una persona che non ti aveva apprezzata.

Ci affezioniamo a chi ci fa soffrire, perché l'idea che potevamo cambiare le cose se ci fossimo comportati diversamente è più allettante.

Ho imparato che sono tante le cose che chiamiamo "amore" per paura di starne senza.

Che stare insieme non vuol dire essere uguali, non vuol dire nulla se uno dei due ha il cuore altrove.

E questo l'ho imparato quando quella sera, dopo essere stati tutta la notte sotto casa tua, prima di salire, divertita mi dicesti "guarda che io ti amo, ma non ti appartengo".

2 OTTOBRE

Regionale veloce 2122
Carrozza 2 posto 64
Prossima fermata: Parma
Ritardo: 15′

Prima di te facevo a gara con i miei amici a chi amava di meno. Ero un po' come il cielo che sembra invincibile ma non ha mai toccato un fiore.

C'È UN PARTICOLARE
CHE TENGO SEMPRE PER ME

Dalle ampie finestre il paesaggio scorre lento e graduale. È buio e ogni cosa che attraversa il mio sguardo ha la forma di ciò che l'ha attraversato poco fa.

Prima di alzarmi, controllo le tasche.

Ho deciso che con il pretesto di andare in bagno farò due passi tra i vagoni.

Il cielo sparisce dietro gli alberi mentre mi faccio largo tra le valigie e chi si è fermato in corridoio a parlare al telefono con un tono di voce più alto del solito per sovrastare il rumore continuo delle ruote sui binari.

Cammino piano con le dita appoggiate sul vetro per non perdere l'equilibrio.

Il treno continua a perdere velocità, siamo quasi fermi.

È un po' come se l'attesa fosse inclusa nel prezzo del biglietto e quindi, ancora prima di partire, sai già che ti ritroverai fermo in mezzo al nulla a chiederti quanto manca.

Nella testa si accavallano pensieri di ogni tipo, penso che da bambino non amavo viaggiare in treno perché in stazione i treni si portavano via mamma quando la chiamavano a lavorare fuori città.

Oppure che sarebbe più bello se non sapessimo dove ci portano, così queste lunghe attese sarebbero meno claustrofobiche.

I treni non sono altro che un insieme di vite che entrano ed escono dalla nostra a ogni fermata. Sguardi che ci dicono che non ci saranno altre occasioni per parlarsi, che se ti incontrassi qui, su questo vagone, e tu fossi dietro di me in attesa che il bagno si liberi, non ti rivolgerei mai la parola.

Perché io sono fatto così, ho sempre bisogno di una seconda possibilità, che spesso consiste solo nel far affiorare i ricordi, nel riviverli una seconda volta.

Ti ricordi quando la neve cadeva come per seppellirci? Quando rientravamo a casa a guardarci i film di Lee Chang-dong per poi abbandonarli a metà, scivolando nel sonno?

Che la cosa bella di vivere al terzo piano era che le città dormivano sotto di noi, e nessuna si lamentava per i bicchieri che facevi cadere a terra.

"Stai attenta" ti rimproveravo.

"La prossima volta bevo dalla bottiglia, scusa" rispondevi risentita.

La mattina, i tuoi capezzoli premevano quasi sempre contro la maglietta.

Eri bella.

Ti guardavo.

"Il mio seno non cresce più" dicevi.

Poi mi baciavi.

Mi manca quando, prima che tu mi sfiorassi, a sfiorarmi era un sorriso.

Troppi "vorrei ma non posso" ma io "verrei, ma non passo".

Non sapere nulla dell'altro e non pensare ad altro per non pensare a niente.

Scoparsi senza assaporarsi, come materie che si scontrano.

Con i cuori che soffocano nei cassetti riservati ai sogni, nelle giornate che non si spengono quando si chiudono gli occhi.

Dormire a caduta libera senza cuscino, con le coperte sotto le ginocchia, e svegliarsi con l'orologio che segna le quattro mentre si ha freddo e si vuole solo andare in bagno.

Per le tue assenze non c'è un medico competente, nessuno in città che sappia dirmi delle verità che dialoghino coi miei pensieri.

La vita continua a propormi una vita senza di te e io la rifiuto categoricamente.

Te le fumavi fino al filtro e collassavi sul mio petto. L'erba ti faceva ridere in modo contagioso.

Mi guardavi negli occhi quando mi abbassavi i pantaloni e afferravi il mio pene come se controllassi qualcosa.

Mi guardavi negli occhi quando, seduta a capotavola, tenevi la tazza con due mani e bevevi il tè a sorsi.

"Credo di amarti" hai detto.

"E da quando lo credi?"

"Da un po'."

"E perché non me l'hai detto prima?"

"C'è un particolare che tengo sempre per me" hai replicato, spostando lo sguardo verso la finestra.

Sorrisi vaghi, sorrisi educati, silenzi innaturali, quando dicevo cose e avrei fatto meglio a tacere.

Guardare i cellulari per non guardarci in faccia.

Sorrisi vaghi, sorrisi educati, silenzi innaturali, quando quel primo anno ti avevo detto che i miei impieghi occasionali d'estate ci avrebbero tolto del tempo per stare insieme.

Da giugno a settembre avrei dovuto lavorare dodici ore al giorno per mille euro al mese, perché papà al massimo mi lasciava venti euro a settimana, che bruciavo in birre e cartine.

Quando Carlo mi assunse, avevo diciassette anni, ma lui non lo sapeva. Stava cercando qualcuno che stesse in cucina a lavare i piatti, io un'occupazione che mi garantisse un po' d'indipendenza economica e che mi tenesse lontano da casa. Quando scoprì che non ero maggiorenne, mi disse che lo aveva immaginato e che siccome ero veloce in cucina, mi avrebbe tenuto lo stesso.

Andavo al lavoro in bus, perché i treni mi facevano incazzare, perché, quando stavano per arrivare, rallentavano di colpo.

IN AMORE NESSUNO DOVREBBE PERDERE

Poco prima dell'estate avevo ripreso a lavorare. Carlo mi aveva chiamato e mi aveva chiesto se avevo voglia di aiutarlo in spiaggia come tuttofare. Avevo risposto di sì senza pensarci due volte perché avevo bisogno di qualcosa che mi occupasse il tempo.

Così passai tutto il mese di giugno al lido a spostare lettini e lavare piatti e non ho avuto quasi mai il tempo per cercarti e scriverti.

Tornavo a casa stanco, mi addormentavo con i vestiti che avevo usato durante la giornata e la mattina presto mi lavavo per poi rimettermeli.

Stare lontano da casa e ritrovarmi a pensarti solo nei tempi morti mi aveva convinto a cercare un'occupazione pure a settembre.

Mio padre a luglio aveva iniziato a chiamare amici e conoscenti che lavoravano in aziende della zona, aveva preso la cosa a cuore perché lo avrei aiutato economicamente con le spese in casa.

Nel frattempo mi avevano detto che eri tornata in città per le vacanze, che eri cambiata e parlavi in modo diverso, che non avevi quasi chiesto di me ma sapevi che lavoravo. Manuel era rimasto a Milano e tu eri venuta al mare, perché a Milano faceva un caldo diverso, che non sopportavi.

Mentre lavavo le tazzine dietro il bancone del bar, mi presentavano ragazze che non indovinavano mai quanti anni avessi, dicevano che sembravo più grande. I discorsi finivano subito, non rispondevo ai loro sorrisi, perché le relazioni occasionali mi facevano stare uno schifo.

Che sei così fortunata perché tu nella tua vita non scoperai mai senza di te.

Ad agosto mi sono licenziato.

Ho detto a Carlo che non riuscivo più a presentarmi la mattina al lavoro, perché stavo poco bene e lui senza rancore mi ha riposto che non c'erano problemi, che se avessi avuto bisogno, lui ci sarebbe stato.

Non ci siamo più sentiti da quel giorno.

Io poi mi sono messo di nuovo dove davo meno nell'occhio, lontano dal centro, all'ombra di sorrisi che non mi riguardavano, a osservare chi ce la faceva sforzandosi con poco. Convinto che senza il cuore le cose si facessero meglio, quando poi tutte le cose che ho fatto da quando non ci sei, le ho fatte comunque senza. Sbagliando comunque.

Il nostro errore era che facevamo a gara a chi amava di più e qualcuno senza forze perdeva per forza.

Quando in amore nessuno dovrebbe perdere.

Si dovrebbe pareggiare sempre.

Ricordi l'ultima volta che abbracciandoci ti ho baciata sulla fronte?

Un abbraccio goffo perché non sapevi dove mettere le braccia, con la testa schiacciata sul mio petto a ogni respiro profondo.

Se non mi piegavo, non riuscivi a baciarmi.

Era estate, guardavi la tele.

C'era il sole fuori, attraversava la stanza tagliandola a metà.

Il palazzo di fronte casa tua, nelle sue crepe, sembrava più bianco, più bello.

Di domenica le tapparelle abbassate nelle giornate bollenti volevano dire "mare" e in città si avvertiva un violento senso di solitudine.

Quel giorno non volevi toccarmi, mi avevi appena perdonato.

E nelle nostre crepe non c'era nulla di nuovo.

"Solo l'idea che un'altra possa averti toccato mi fa venire i brividi, sei un coglione. E poi dici di me. Mi hai fatto sentire in colpa per cose futili, quando tu alla prima occasione sei andato a letto con un'altra..." mi davi le spalle e forse piangevi.

E per te, che ti mostravi forte in ogni circostanza, piangere di fronte a qualcuno era uno schiaffo.

Prendevi fiato e mi lasciavi senza.

"Sei bella quando mi respingi" ti dissi nel tentativo di riparare le cose.

Ero lontano dai tuoi pensieri, come chi ti viene in mente per caso, senza un motivo.

"Non lo sto facendo, è che voglio restare un attimo da sola."

Mi davi le spalle.

Mi davi.

Mi davi i tuoi occhi.

Mi vedi?

Mi davi il tuo amore.

Ti devo.

A quindici anni speravo in un amore fatto solo di sguardi e di intese, per questo mi sono innamorato dei tuoi occhi grandi.

Grandi quanto la sintassi della mia esistenza, fatta di errori e di pagine scritte male, di genitori assenti, treni persi, posti giusti e gesti sbagliati.

E anche se in quel momento i miei problemi erano economici, le cose che mi mancavano non erano cose. Ma le cose che non erano e che non sarebbero state mai.

Quando stavo male durante l'adolescenza, ricordo

che facevo un gioco strano, mi chiudevo in camera, spegnevo la luce e chiudevo gli occhi, perché la solitudine non ha senso se non esiste nessuno.

A volte funzionava, ora non più, chiudo gli occhi e ci sei, al punto che non dormo quasi mai, anche se tengo gli occhi ben chiusi, perché la vita si diverte a vedermi inciampare in questioni che pensavo risolte.

Mi chiede se riuscirò a stare senza di te e le mie risposte cambiano in continuazione, non sono mai come la volta prima.

E proprio perché non sarai mai più come le volte prima, spero un giorno di non stare più male per te. Sarai lontana, io sarò bello da non crederci e tu non crederai che mi sarò abituato a non averti al mio fianco.

E anche se sei stata la sensazione che la vita a un tratto volesse restituirmi qualcosa, vedendoti non mi sentirò più in colpa, perché si sbaglia sempre, e l'ho capito tardi.

L'ho capito quando la gola cominciava a strozzarsi per le lacrime e piangere in silenzio faceva un immenso rumore di solitudine.

Non sai quanto avrei potuto darti se me l'avessi concesso. Non sai quanto ci soffrivo quando t'interrompevi come se certe cose io non potessi capirle.

Smetterò di dirti senza parlare che ero disposto a esserci per tutti e due, anche quando tu avresti voluto essere altrove. E sei convinta che ti manco, mentre io lo spero, mentre seguo la tua vita ormai solo su Facebook ed è brutto da ammettere.

È brutto da accettare il fatto che io sia finito in uno di quei cassetti che non ricordi mai di aprire, dove tieni le magliette che non metti da un po' e i pensieri che scrivevi quando stavi male.

Avrei voluto dirti che non ero fatto di gomma, che non ero fatto di un materiale insensibile.

Smetterò di credere che quando t'incazzavi mi urlavi cose che non pensavi, di chiedermi prima di dormire "ma se soffriamo insieme e soffriamo distanti, perché non stiamo insieme?".

Non ti chiederò più scusa per errori che non ho fatto, non mi scuserò più per la persona che non sono.

Non terrò più dentro quello che realmente penso di te per non farti male, perché tu non mi hai mai protetto.

Fare il possibile per non vederti sperando d'incontrarti, fare il possibile per dimenticarti sperando di non riuscirci.

Il dolore non aiuta a crescere, l'amore non cura le ferite, te le fa scordare, come i baci dopo i litigi.

Non starò più male per te.

Un giorno starò bene e avrò un sorriso talmente grande che le persone che non vedo da un po' non mi chiederanno "dove sei finito?" ma "dove sei iniziato?".

TI AMO ANCHE SE NON VORREI
AVERNE VOGLIA

Finivi la birra e accendevi una sigaretta.

Tiravi su con il naso.

Non avevi mai i fazzoletti.

Accendevi la radio, cambiavi stazione e spegnevi la radio.

Con gli occhi fissi sulla strada, ma guidavo io.

Ti sedevi sempre sotto il poster di *Ferro 3*, in camera mia.

Quando ti dicevo che stavo bene, volevo che tu non mi credessi.

Lasciavi il cellulare a casa, dicevi che non ti serviva.

Anche tu, come Ernesto, avresti preferito la rivoluzione alla medicina.

Anche tu, come quelli di Lotta Continua, credevi che fosse stato Calabresi.

Anche tu, come Tenco, ti eri innamorata perché non avevi nient'altro da fare e io te lo lasciavo fare perché ti amavo più delle sue canzoni.

Ridevi quando ti dicevo che per me i fascisti che abitavano a Loreto si sentivano in colpa.

Mi sentivo in colpa perché se mi avessi lasciato definitivamente, avresti avuto ragione.

Me l'aspettavo e mi sono arrabbiato lo stesso.

Quando per l'ennesima volta hai utilizzato la stessa scusa per mollarmi, io non ci ho visto più. Quel giorno ho scritto ad Anna che non stavo bene e che avevo bisogno di parlare con un'amica e lei mi ha risposto che non aveva nulla da fare, che le andava bene parlare un po' come ai vecchi tempi.

Prima che ti conoscessi, io e Anna uscivamo nella stessa compagnia il sabato sera. Ci siamo persi di vista quando io e te abbiamo iniziato a frequentarci, non ti stava simpatica, sapevi che eravamo stati insieme per un breve periodo. Che i primi rapporti li avevo avuti con lei. Quando Anna mi scriveva e leggevi il suo nome sul display del mio cellulare, dicevi "che vuole quella?".

Lei per me non ha mai provato nulla, mi ha sempre detto così.

Quando poi mi hai riscritto e siamo tornati insieme, per un po' di tempo, a tua insaputa, ho mantenuto una relazione con entrambe.

Quello che non riuscivo a essere con te, riuscivo a esserlo con lei.

E questo lei lo capiva.

Sapeva di noi due, ma non ne parlavamo mai, forse voleva solo farti un torto, perché per colpa tua la nostra amicizia si era interrotta.

Un giorno però non ho retto più. Ho chiesto scusa a lei e spiegato tutto a te.

Ti avevo bendata e portata in motorino di sera sulla Darsena.

Durante la settimana non passava quasi nessuno di lì, perché i lampioni sempre spenti tenevano le persone lontane da quelle strade sacrificate, che un tempo avevano fatto la fortuna di molti imprenditori che poi si erano tolti la vita in azienda, poco dopo la crisi del 2008.

Gli edifici della zona industriale erano pieni di stanze vuote e io ne avevo pulita e illuminata una con delle candele, per farti una sorpresa. Dai mobili sembrava fosse stato un ufficio. Avevano portato via tutto, tranne una scrivania e un armadio. Per terra c'erano dei vecchi calendari abbandonati.

Avevo passato praticamente tutto il pomeriggio ad arredarla con foto che ti avevo scattato mentre dormivi. In una che ti avevo fatto dall'alto, si leggeva la frase che avevi scritto sul muro di camera tua, poco dopo esserti lasciata con Manuel: "Ti amo anche se vorrei non averne voglia".

Quando incontri una persona che ami, ne odi il passato perché è un posto che ti esclude.

Nel momento in cui ti tolsi la benda dagli occhi, svelandoti il luogo in cui ti avevo portato, sorridesti come in quella foto scattata al tuo compleanno che ci ritrae mentre provo a baciarti e tu mi copri il volto con una mano.

"Tu non sei normale" dicesti poco prima di baciarmi prendendomi il volto con tutt'e due le mani. Aprivi la bocca per poi richiuderla subito dopo, come se non trovassi le parole, e ti portavi il palmo della mano sulle labbra mentre con l'altra mi cercavi. Faceva freddo. Toccavi ogni cosa come se non la meritassi.

Avevo fatto fare alla copisteria di Largo Murani un puzzle che scomposi e posai per terra. Spostavi i pezzi che avevo scomposto e posato per terra. Spostavi i pezzi e mi chiedevi in continuazione "cos'è?" portandoti le mani tra i capelli per toglierli dagli occhi.

Seduta per terra, sembravi una bambina.

Rimanesti ferma, fissa a guardarmi, che quando spostavo per un attimo lo sguardo speravo che i tuoi occhi poi li avrei ritrovati lì, ancora addosso.

Non avevo il coraggio di dirti tutto a voce, perché avevo paura della tua risposta.

"Perdonami" avevo fatto scrivere sul puzzle.

Alzasti gli occhi lentamente e a mezza voce dicesti "per cosa, scusa?".

Mi strinsi nelle spalle e spostai lo sguardo sul puzzle che avevi composto in così poco tempo. "Ho fatto una cazzata."

"Cosa, Enri?"

"Anna" dissi a voce bassa.

Silenzio, il tuo sguardo immobile, gli occhi spalancati, la tua espressione molto prima delle tue parole.

"Tu per anni mi hai promesso che non mi avresti mai fatto del male e invece continui a farmene più di tutti. Ma questa volta non sarà così, non voglio più sentire una parola, hai capito?! Io ti conosco, ora mi dirai che l'hai fatto perché ti manca tua madre, metterai in mezzo lei, perché fai sempre così, per farmi tenerezza, dirai che è colpa mia che non ci sono mai perché studio sempre e cazzate del genere, ma le persone non sono giocattoli che sostituisci a tuo piacere. Stavolta è finita davvero e se mai dovessi pentirmi, sappi che comunque hai perso la mia fiducia, che l'hai persa per sempre. Io vado a casa."

Volevo scusarmi e le parole non mi venivano. Abbassai gli occhi mentre tu andavi via. Che si capiva da come camminavi che piangevi, con le mani in tasca e il passo di chi non mi avrebbe scritto per prima.

"Tu non mi hai illusa, mi hai disillusa" dicesti un istante prima di scomparire.

Non è vero che nulla è più forte dell'amore, la paura di stare male lo è. Ti toglie le parole quando dovresti sorprendere. Ti fa dire "addio" per primo per paura che ti anticipino, ti porta a tradire la persona alla quale tieni solo perché è più fredda del solito. Solo perché vorresti che ti rispondesse con la stessa intensità con la quale le scrivi, come se stare insieme volesse dire stare su una bilancia.

Ma dov'è scritto che chi ha dato tutto ha fatto meglio?

Io ti ho dato tutto e ho fatto male.

Tu volevi essere amata e avere la certezza che ci sarei stato sempre, io essere sorpreso e non avere paura che mi avresti sostituito.

IL SESSO NON È UN PECCATO,
IL PECCATO È LASCIARSI PER IL SESSO

Eravamo usciti di notte, avevo scritto ad Anna che non riuscivo a dormire e se le andava di fare due passi e parlare un po'. C'era un caldo umido fuori e stare a letto era impossibile. Mi sudava la schiena e, nonostante dormissi con la finestra aperta, non entrava un filo d'aria.

Rispose "ok" senza aggiungere altro, lessi il messaggio senza aprirlo. Lei è sempre stata una persona di poche parole, una che si trattiene, scura come i suoi capelli.

Restammo fino alle cinque del mattino sotto casa mia a parlare. Anna non fumava e quando stavo con lei cercavo di fumare il meno possibile, perché le dava fastidio il sapore. Sapevamo già che ci saremmo baciati.

Certe cose le senti.

Vivono sotto la pelle.

Ci siamo sempre piaciuti, però al liceo avevamo preferito un'amicizia sincera a una storia d'amore, pensando che ci sarebbe servita di più nei momenti difficili. Però poi dopo la scuola finivamo a casa mia e scopavamo fino a poco prima che mamma rientrasse dal lavoro.

"Il sesso non è un peccato, il peccato è lasciarsi per il sesso" ci ripetevamo come per giustificarci, perché un po' ci sentivamo in colpa. Per lei ho sempre provato un sentimento protettivo. Quando conobbi te, Irene, ci separammo senza dirci nulla, evitandoci nei corridoi.

"Perché hai chiamato me e non lei? Non dovrei essere qui, lo sai."

Era arrivato il momento di salutarci, il cielo aveva già cominciato a schiarirsi all'orizzonte.

Infilai una mano in tasca per prendere il telefono, ma in realtà stavo cercando le parole. Alla fine le trovai.

"È che a volte vorrei essere accettato per come sono, senza dovermi per forza giustificare. Senza dover fare la lista dei miei difetti. Vorrei qualcuno che i difetti li chiama qualità, le incazzature chiarimenti. Non cerco qualcuno che mi prometta che sarà per sempre, ma qualcuno che quando sbaglio pensi che non sarà sempre così. Con Irene questo non è possibile. Con te invece ci riuscivo, ci riesco."

2 OTTOBRE

Regionale veloce 2122
Carrozza 2 posto 64
Prossima fermata: Piacenza

Ci sono persone che sono come quelle parole che da sole non dicono nulla, che per avere un senso deve finire la frase. Mia madre per anni ha creduto di essere così. Sola a metà, senza dire nulla.

SONO QUELLA PARTE DI TE
CHE NON SA ASPETTARE

Sembrano tutte persone gentili, perlopiù persone che viaggiano da sole. Ogni tanto qualcuno si sveglia e si guarda attorno, come se non sapesse dov'è. Qualcuno legge. Lo scomparto poi non si è riempito del tutto, ci sono tre poltrone libere, una accanto a me e forse non è un caso.

Siamo ripartiti da un paio di minuti e il capotreno ha annunciato che molto probabilmente recupereremo il ritardo accumulato.

Il signore seduto alla mia destra ha sbuffato e ha mormorato qualcosa, corrugando un po' la fronte. Non ho capito cosa, non mi sono voltato in tempo.

Io a differenza sua non ho fretta. Non me ne frega niente, tanto siamo destinati ad arrivare prima o poi.

E siccome non mi va di guardare i lampioni che si susseguono fuori dal finestrino, per ingannare il tempo, immagino di parlare con te, di dirti cose che non saprei dirti.

"Mamma, come stai?"

Non mi rispondi, non puoi rispondermi, e allora parlo io, come quando il telefono prende male e solo uno dei due sente.

Io sono in treno, ho il raffreddore e sto andando a Milano. Ho fatto il biglietto, tranquilla, e l'ho pure timbrato, ma ho scordato i fazzoletti, le chiavi davanti al computer e di dire a papà che anche stasera non torni.

Da bambino era il mio compito, quello di chiamare Gianluca per dirgli che avremmo fatto tardi. Da bambino mi tenevi per mano e quando stavamo per perdere l'autobus, io correvo e riuscivo sempre a fermarlo, tu sorridevi e subito dopo mi riprendevi la mano. Per questo, forse, quando ho capito che te ne stavi andando, io mi sono limitato a guardarti, perché sapevo che così quel gesto non sarebbe finito tra gli oggetti smarriti, tra le maglie da lavare che poi non ritrovi più.

Mi manchi come quando manca mezz'ora, che quando te ne sei andata non hai detto nulla, un bacio sulla fronte e non c'eri già più.

Mi dicevi "non preoccuparti" e il nonno non c'era più.

Mi dicevi "non preoccuparti" e tu non ci sei più.

Mi dicevi "non preoccuparti" e io dove sono?

Sono quella parte di te che non sa aspettare.

Non ricordo più com'è esserci tutti.

Mi hanno detto "quando sorridi, sei uguale a tua madre" e io ho smesso di farlo davanti a Gianluca perché voglio che la nostalgia lo abbandoni.

Al telefono, ci diciamo le stesse cose, che stai bene, che il futuro è lì, che sei fiera di me, che ti manco.

Quand'ero piccolo, tutte le mattine, prima di andare a scuola, ti baciavo sulla fronte. Poi crescendo ho smesso di farlo, senza motivo.

L'ultima volta che sono stato dall'avvocato, la segretaria all'ingresso mi ha detto "io conoscevo tua madre, sai?". Le ho risposto "anche io" e le ho sorriso come per dire "prego".

Quando mi chiedono di te, penso "andata" perché Trenitalia mi ha abituato ad associare la parola ai ritorni.

Uso spesso i treni ma nessuno attraversa il mare, io lo farei, ma non l'ho ancora fatto.

Non era previsto, non ero pronto, ho pianto raramente dopo quell'estate, in silenzio, sotto le tue foto che ho fissato sul muro tra le foto di me e Irene l'inverno passato.

Almeno lui è passato.

Che all'inizio non ti stava simpatica, perché a tavola non mangiava mai le cose che le preparavi e solo poi, con pazienza, senza che ti spiegassi nulla, eri riuscita a capire i suoi disturbi.

Mi dicesti "stalle vicino".

Quando papà si addormentava sul divano, mi chiedevi di andare a svegliarlo, io ti rispondevo "dormo io con te" e finivamo per dormire in salotto tutti insieme.

Perché amare è venirsi incontro.

Io comunque sto bene, non ti preoccupare.

Ti saluto perché mi è difficile parlare di te e non ho i fazzoletti.

Papà non si addormenta più in salotto, chissà perché.

Io sono tra quelle persone che vorrebbero vivere, ma non sanno per cosa.

Non pensare troppo, non soffrire per me, ci penso io.

Ciao mà.

Chiudo gli occhi, li riapro, li chiudo di nuovo e non mi ricordo più se alla fine sono chiusi o aperti, perché comunque sono solo, come quando ero bambino, in camera mia. Il controllore non è ancora passato e come tutte le volte che timbro il biglietto so già che non passerà. Il rumore ritmico del treno mi accompagna, da te, insieme a volti sconosciuti, passeggeri con altre mete, altre destinazioni, altri sogni e altri obbiettivi.

Quando incrocio lo sguardo di qualcuno, accenno un sorriso, come a dire che è tutto a posto.

Che tutto a posto poi non è.

Perché sono teso.

Perché se non fosse stato per tua sorella, io questo treno non l'avrei mai preso.

"Che devo fare?" le avevo chiesto guardandola fisso negli occhi.

"Se ti manca, vai da lei. Parlale."

Sono ore che immagino la nostra conversazione e so che molte delle parole che mi frullano in testa non le dirò. Perché per quasi quattro anni mi sono scusato per messaggio. Per quasi quattro anni le cose migliori te le ho dette così, senza un reale confronto.

Perché io, come molti, ho creduto più volte che Skype avrebbe annullato le distanze, che WhatsApp avrebbe sostituito i tempi morti a pensarti, a scrivere meglio i messaggi che contenevano le parole che non riuscivo a dirti nemmeno per telefono, che i tuoi ultimi accessi mi avrebbero confermato che mi pensavi mentre dormivo, mentre aspettavo. Usavo la tecnologia come un incentivo per potermi fidare, i tuoi stati come promesse che facevi a me.

Consumarsi come sigarette che si fumano dopo assemblee noiose in sale dove è vietato fumare.

E quando ti dicevo "ti amo" pensavo che era il modo più immediato per parlarti dei miei problemi.

L'università ti ha portata via davvero.

A Milano.

Chiederti "sei felice senza di me?" e sentirsi dire "io non sono senza di te".

Quando non sapevi cosa metterti, eri nuda, quando non sapevi dove mettermi, ero nudo.

Ricordo quando, in viaggio per San Benedetto, ti eri tolta le scarpe perché ti facevano male i piedi e dicevi che camminandoci si sarebbero allargate.

Ma noi eravamo fermi, seduti su un treno regionale, con un ritardo di quindici minuti e, dopo un tempo indefinito, passato in silenzio con il telefono in mano, dicesti "se mai vivremo insieme, dobbiamo dormire in due camere separate".

"E perché, scusa?" Alzasti gli occhi verso di me. "Pensaci, quant'è bello pensare e sperare di notte, tutte le notti, che la persona che ami si possa svegliare per venirti incontro e restarti accanto?"

I tuoi non erano segni, ma sogni particolari. Parlavi poco di te perché ti ricordava i difetti che avevi, poco dell'amore perché il cuore in fondo è solo un muscolo.

Eri un muro di ghiaccio, mi facevi vedere cosa c'era dall'altra parte, ma non mi lasciavi passare.

Colpa mia che all'inizio ti avevo detto che ti avrei amata con tutto me stesso, sbagliando perché avrei dovuto amare tutta te stessa.

Colpa mia che quando mi hai chiesto del tempo, una pausa per pensare, ho scopato con una che non eri tu, invece di urlarti addosso che in amore non ci sono pause.

CONFONDEVO IL TABELLONE DEGLI ARRIVI CON QUELLO DELLE PARTENZE

Alla fine mi dicesti che te lo sentivi, che te lo eri immaginato, che te l'aspettavi da uno come me, ma all'inizio non ero così o forse ti avevo solo fregata con le mie frasi di circostanza.

Che poi io quella sera, dopo che Anna se ne era andata, senza nessuna fitta di rimorso, ti scrissi che mi mancavi, che dovevamo parlare.

Non sai però che ci sono state altre notti, che abbiamo dormito diverse volte insieme.

Che ti ho mentito come Trenitalia quando ci ha ringraziati di averla scelta.

Io non ti avevo scelto e tu non mi avevi ringraziato.

Io confondevo il tabellone degli arrivi con quello delle partenze. E restavo lì a chiedermi "come mai?".

Ti lasciavo sempre l'ultima parola perché amavo la tua voce, perché non sempre ribellarsi è una disobbedienza necessaria.

Dicevi "un amore vero non si ha paura di perderlo".

Io avevo paura perché non mi sembrava vero.

Tu eri troppo bella per me. Un archivio di emozioni troppo grande per un cuore come il mio.

Avevi smesso di parlare del futuro perché non lo immaginavi con me. Dormivamo già in due camere separate, nessuno è mai venuto, nessuno è mai rimasto.

Ti capivo.

Io so che non mentivi, ma so anche che l'amore ci fa dire cose che non pensiamo, e io in tua presenza non riuscivo a pensare, mentre il resto del tempo l'ho passato a pensarti. Forse la tecnologia banalizza l'amore, forse. Perché se non fosse stato per le chat, noi ci saremmo detti un mucchio di cose, come nei minuti prima del primo bacio, come quando ci salutavamo di fronte al binario nove e dicevo cose a caso per non perdere nemmeno un secondo di quell'attesa.

Non è vero che sei cambiata e non mi ami più, perché io di te so solo che mangi poco, che ti addormenti presto e che non usi Skype quando porti gli occhiali perché non ti piaci.

Ti ho chiesto "ma di me cosa ti piaceva?" e hai risposto *"piaceva"* aggiungendo che però tu, a differenza mia, mi hai amato dal primo giorno e che non dovevo metterlo in dubbio per nessuna ragione al mondo.

Non ti ho risposto perché a differenza tua io ti amo ancora dal primo giorno e non l'ho messo in dubbio per nessuna ragione al mondo.

QUEI BRAVI RAGAZZI

Mia madre è sempre stata convinta che l'uomo faccia le cose migliori prima del trentesimo compleanno.

"Pensaci, Enrico, dimmi il nome di uno dei tuoi cantanti preferiti che ha scritto un disco che ha cambiato la storia dopo i trent'anni."

Non sapevo rispondere.

Per lei, tutta la musica che ascoltavo era pessima, tranne le sere che mi fissavo con *Aida* di Rino Gaetano, allora cantava con me i suoi versi preferiti.

Mia madre amava Rino Gaetano. Diceva che a volte pensava a lui come fosse un vecchio amico, un vecchio amore che l'aveva accompagnata durante la giovinezza. Poi, sorridendo, mi raccontava che papà era geloso quando lei gliene parlava, anche se si vergognava ad ammetterlo, che lui non era sempre stato così scontroso, che prima riusciva a essere delicato anche quando discutevano, che ogni frase scoppiava in un sorriso.

Mamma scriveva poesie e non solo quelle, c'erano anche tantissime lettere sulla sua scrivania.

Molte erano dedicate a papà, non a Gaetano.

Io, a differenza di mia madre, non ho mai saputo scrivere, non ho mai avuto la dote della sintesi, non sono mai stato bravo con le parole. Da ragazzino preferivo leggerle, imparavo a memoria le massime dei libri e le trascrivevo con il pennarello alle fermate degli autobus.

Volevo colorare di frasi la mia città e speravo che qualcuno le andasse a cercare per riscriverle da qualche altra parte.

Uscivo di casa la sera con il marker e cercavo le fermate degli autobus davanti alle scuole, quelle nelle piazze. Lo facevo con altri due miei compagni di classe che a differenza mia però facevano i writer.

La mattina in classe studiavano le lettere e le illustrazioni che poi avrebbero preso vita sui muri. In città, i ragazzi che facevano i graffiti erano pochi, si contavano sulle dita di una mano. La facilità con cui disegnavano mi faceva innervosire perché io non ero bravo come loro. Erano sempre sporchi di vernice, in fissa con l'hip hop americano che per me suonava tutto uguale.

Nessun adulto immaginava che di notte firmassimo la città con i nostri nomi.

Karim e Andrea mi presero in simpatia subito. Anche se ero tanto diverso da loro, credevano che la mia idea delle frasi fosse innovativa.

Raggiungere la grande città era la meta più ambita per noi che eravamo cresciuti in provincia, dove le novità arrivavano sempre in ritardo.

Andrea era contrario alle tag sui muri, perché per lui non esprimevano nulla, era contrario a distruggere l'arte del luogo in cui viveva. Dipingeva solo sui muri di palazzi che non interessavano a nessuno.

Karim invece si poneva meno limiti e dipingeva su ogni spazio bianco della città, pure sui vetri appannati lasciava la sua firma con il dito.

In classe lo sapevano tutti che eravamo noi a "sporcare" la città, ci firmavamo *QBR* che voleva dire "quei bravi ragazzi" e quella sigla era scritta ovunque sui nostri banchi. Il nome lo avevo trovato io, dopo aver visto per la prima volta il film in streaming da mia zia.

Avevamo poco più di quattordici anni e le nostre giornate iniziavano quando faceva buio, quando trovavamo una parete su cui scrivere, una panchina su cui stare ad ascoltare la musica dal cellulare.

Dicevo a mia madre che andavo ad allenarmi, mi aveva iscritto a pallacanestro, uscivo con il borsone e rientravo a casa sempre allo stesso orario per non destare sospetti.

Giravamo in bici, anche in inverno, quando le piste ciclabili ghiacciavano e restare fuori di notte diventava un'impresa.

Ci sentivamo come i protagonisti dell'*Odio* o di un qualsiasi film dove ci sono tre attori che passano le serate a parlare di cose più grandi di loro, Dio, i soldi, le ragazze e le istituzioni.

Karim aveva genitori musulmani, suo padre era iraniano, sua madre italiana convertita all'Islam.

E quando finivamo a parlare di spiritualità e religione, lui chiudeva il discorso con "lasciate stare ragazzi" oppure "non potete capire". S'innervosiva, perché facevamo domande a cui non sapeva dare risposta e lui non sopportava di non essere all'altezza di quelle domande.

Lui non era un tipo religioso, praticava per non mancare di rispetto al padre. Un uomo severo che voleva sempre avere l'ultima parola.

Quando andavamo a trovarlo a casa sua, il padre di Karim non entrava mai in camera, lo chiamava dal salotto ogni dieci minuti ed era sempre per rimproverarlo di qualcosa che non aveva fatto come lui gli aveva chiesto.

Durante il Ramadan, Karim spariva, la sera non poteva uscire perché era l'unico momento della giornata in cui gli era concesso mangiare e durante il pomeriggio restava a casa, non voleva vedere nessuno, spegneva pure il cellulare.

In quei giorni passavo il mio tempo con Andrea, ci

trovavamo a casa sua e quando, tra un discorso e l'altro, pronunciavamo il nome di Karim, lui iniziava a parlare di religione con disprezzo. Diceva che nella storia ha sempre diviso i popoli e reso le persone meno concrete. Si autodefiniva marxista.

Una volta, mentre era al computer, disse "ma se Dio ci ha fatti a sua immagine e somiglianza, allora è nero, bianco, orientale, gay, etero, ha la barba, arriva in ritardo, e crede in un paradiso, no? E se siamo tutti uguali, come diceva Gesù, allora perché nella Bibbia c'è scritto 'non desiderare la donna d'altri' come se le donne non desiderassero?".

Non avevo niente da rispondere, io non sapevo affrontare un discorso di quel tipo perché non ci avevo mai pensato. In casa mia nessuno andava in chiesa la domenica o ringraziava il signore prima di mangiare.

Non ho mai creduto nel Dio che ci fanno conoscere fin da piccoli, perché nel tempo la religione mi è sembrata piena di contraddizioni e ipocrisie. Anche se, però, ho sempre creduto che ci sia un'entità superiore senza un nome preciso, che dovremmo vivere in armonia con l'universo o almeno fare di tutto per riuscirci.

Che esistono energie positive e negative che condizionano le scelte di ognuno.

Una persona che è sempre felice, difficilmente fallisce.

Non ho mai creduto all'idea di un premio o di una punizione divina, ma credo davvero che chi fa del male un giorno pagherà e chi fa del bene forse troverà qualcuno riconoscente.

Credo che dovremmo amare la vita, considerandoci fortunati, che dovremmo capire che il bene più grande di un uomo è la propria vita.

Tutto questo non lo dissi ad Andrea, lui odiava essere contraddetto e io non sapevo tenergli testa. Con lui ogni conversazione diventava una discussione se la persona che aveva di fronte aveva un punto di vista diverso dal suo.

Odiava tante cose: il calcio, MTV, la polizia, i politici, i suoi genitori, la nostra città che andava a dormire troppo presto.

Lui fumava già, era uno dei pochi che in prima superiore scendeva in cortile ad accendersi una sigaretta. Gli altri restavano di sopra a mangiare, affacciati alla finestra del corridoio di fronte alla loro classe. Io lo accompagnavo.

Gli studenti più grandi non ci disturbavano perché il cugino di Karim era conosciuto in tutta la scuola, era uno che menava forte. Ogni volta che ci incontrava nei corridoi, si fermava a parlare con noi davanti a tutti. A scuola funzionava così, dovevi conoscere le persone giuste per stare tranquillo.

"Non sopporto le classi sociali, i gruppi, il fatto che a quattordici anni non abbiamo la mente libera perché ci occupiamo di cose inutili che non servono realmente per vivere. Fosse per me vivremmo nudi. Odio Karim quando s'impunta con 'sta cazzata della religione, odio me perché proprio non riesco a capirlo. Odio chi si finge amico, chi si omologa. Odio i ritardatari. Ma non intendo quelli che arrivano con mezz'ora di ritardo. Io arrivo sempre tardi agli appuntamenti, lo sai. Intendo quelli che se ne rendono conto troppo tardi. Quelli che feriscono e poi chiedono scusa quando ormai non serve più a niente. Quelli che tornano all'improvviso quando c'hai messo mesi per dimenticarli. Quelli che ogni tanto ti guardano con gli occhi di chi vorrebbe qualcosa da te e ogni volta ti accorgi che quella cosa non sono i sentimenti."

Andrea era così, diceva cose bellissime e non se ne rendeva conto. Piaceva a molte ragazze a scuola, ma le allontanava tutte, diceva che l'avrebbero distratto dal suo obbiettivo. Lui voleva passare le giornate a scrivere e dipingere, non a stare in giro per negozi mano nella mano con una ragazza.

Non era vero e lo sapevamo tutti che quella era una bugia che si raccontava, che lo faceva solo perché era innamorato di te, che non degnavi nessuno di uno sguardo perché uscivi con un ragazzo che stava per finire il liceo.

La prima volta che ti vidi in stazione, fu Andrea a farmi il tuo nome. C'era anche Karim con noi.

"La vedi quella ragazza che sta correndo? Quella con il giubbotto rosso come i suoi capelli?"

"Sì, la vedo" dissi cercandoti tra la folla. Di mattina in stazione c'erano sempre tantissime persone e se non fosse stato per il tuo giubbotto di quel colore acceso non ti avrei vista.

"Ecco, quella è Irene Vitale. A scuola, da quand'è arrivata, i ragazzi non fanno altro che parlare di lei e per questo motivo non sta simpatica a molte ragazze. È fidanzata con uno più grande e praticamente parla solo con lui e qualche amica che conosceva già alle medie. È bella, vero?"

Andrea sorrise nervosamente, non parlava mai così di nessuno.

"Non è niente di che" risposi girandomi verso l'ingresso del bar della stazione mentre lui ti seguiva con lo sguardo.

Mentivo, eri bella davvero.

L'AMORE È INDIPENDENZA

I primi due anni del liceo li passammo praticamente sempre insieme.

Quando qualcuno m'incontrava nei corridoi o per strada, mi chiedeva sempre "e Karim e Andrea dove li hai messi?" perché per tutti eravamo una squadra.

Quell'anno prendemmo contemporaneamente il patentino, scoprimmo le droghe e il sesso. Stavamo in camera di Andrea, schiacciati sul suo divano a passarci le canne e a progettare i fine settimana.

Frequentando l'ambiente delle discoteche e delle serate che quelli di quinta organizzavano un sabato al mese, iniziammo a conoscere ragazzi come noi, che amavano disegnare, gli Oasis, il rap e l'erba.

Andavano quasi tutti al liceo artistico e vestivano largo, tranne Anna che andava nella nostra stessa scuola, ma stava al piano di sopra.

I primi due anni passarono in fretta. Ci riunivamo in piazza Salara il sabato pomeriggio a parlare di niente con la convinzione di chi sa tutto. Qualcuno si era pure fatto i dread, io non potevo, perché mamma non voleva.

Karim si era messo a frequentare i centri sociali, le manifestazioni, portava al collo sempre una Kefiah bianca e nera, parlava di rivoluzione. Diceva che la cultura era l'unica vera forma di libertà che ci è stata concessa, che Gandhi aveva ragione, che il Pki in Indonesia avrebbe fatto grandi cose se non fosse stato per gli americani. Parlava spesso delle guerre che i media definivano di "religione".

Una volta disse "voi non credete che se l'intento di questi terroristi islamici fosse colpire la religione cattolica, avrebbero già attaccato San Pietro? Perché proprio gli Stati Uniti e le torri gemelle? Perché in Occidente vengono attaccati solo quei paesi che hanno stabilimenti in Medio Oriente e in Africa come la Francia e l'Inghilterra? Qui l'unico Dio per cui si combatte è il Dio denaro. Le guerre di religione le facciamo noi poveri nelle periferie, credetemi".

Credevo a ogni cosa che mi diceva, perché la diceva in modo tale che non potevi fare altrimenti.

Andrea invece aveva conosciuto Giulia, un'amica di Anna, e si era finalmente fidanzato. Stavano sempre insieme, tornavano a casa prima di tutti e spesso la sera ci bidonava all'ultimo per stare con lei.

Non le ho mai capite quelle persone che vivono l'amore come fosse una dipendenza, l'amore è indipendenza. Quando provavo a dirglielo, Andrea s'innervosiva.

"Dopo tanto tempo sono davvero felice ed è come se tutto si trovasse dove dovrebbe essere. Smettetela di dire che sono cambiato, mi sto semplicemente godendo il momento, davvero."

Lo perdemmo di lì a poco.

Iniziammo a vederlo meno dopo la scuola, aveva sempre qualcosa da fare, da finire, ce lo riferiva in fretta senza darci spiegazioni. Saliva sul Booster e lo rivedevamo la mattina dopo in classe. Spesso mi trovavo in imbarazzo a parlargli, quasi fosse un'altra persona. Gli altri si limitavano a dirmi "un giorno capirà, non te la prendere". Non comprava più le bombolette, si comprava l'erba e la fumava con lei che aveva sempre casa libera. Giravano voci che avesse provato pure la

cocaina, che lei ne faceva uso ogni tanto durante le fe-
ste, che tornava a casa stravolto la sera tardi quando
non dormiva da lei. Io non credevo a quelle storie, l'Andrea che conoscevo era un'altra persona.

Una sera, dopo due mesi che non ci sentivamo, mi
chiese per messaggio di vederci al solito posto, quello dove ci riunivamo dopo cena a controllare le bombolette e a riguardare i disegni prima di pittare i muri.

"Ciao, Enri."

Era arrivato poco prima di me in piazza, mi aspettava seduto sul Booster, infreddolito.

"Ciao Andrea, tutto bene? Ma che è successo?" chiesi
avvicinandomi a lui. Gli porsi la mano togliendomi il
guanto e lui fece lo stesso, scendendo dal motorino.

Quella era sempre stata una piazza poco illuminata
e la sera diventava un via vai di tossicodipendenti che
andavano lì a comprare l'eroina e a bucarsi.

"Io sto bene, Enri. Non è successo nulla, tu ti preoc-
cupi sempre. Mi fa piacere vederti."

Teneva le mani in tasca e non mi guardava mai dritto negli occhi, si guardava attorno. Iniziammo a ricordare cose successe in passato, aneddoti che solo ad ac-
cennarli ci veniva da ridere.

"Perché Karim non c'è?" chiesi a un tratto.

"Non è potuto venire" rispose tornando serio all'improvviso. Poi aggiunse "comunque, Enri, ti ho chiesto
di vederci perché ho bisogno di un favore. Mi servi-
rebbero cento euro perché devo cambiare un pezzo del
motore e con i miei genitori come sai non vado molto d'accordo".

"È vero che ti fai di coca?" gli chiesi di punto in
bianco.

Lui cercò in tutte le maniere di negare, giurò pure sulla sua famiglia, ma era evidente che stava mentendo.

Mi salutò abbracciandomi e il giorno dopo gli pre-
stai i soldi. Quando lo raccontai a Karim, mi disse che

la settimana prima li aveva chiesti pure a lui usando la stessa storia del pezzo del motore da cambiare e che lui glieli aveva prestati sapendo che non li avrebbe avuti indietro.

Una mattina, in classe, scoprimmo che si era ritirato da scuola.

Non lo vidi più, nemmeno per sbaglio.

Passava le giornate chiuso in camera sua e non apriva a nessuno, aveva paura che lo cercassimo per avere indietro i soldi.

Iniziai a uscire meno anche io, perché Karim era sempre impegnato con le manifestazioni e io con le rivoluzioni c'entravo poco.

Loro sono stati forse i miei unici e veri amici, le uniche persone di cui mi sono davvero fidato prima di te. Ed è strano, quando le incontro, rendermi conto che è tutto finito, che anche se ci chiudessero tutti e tre in una stanza non avremmo più niente da dirci.

2 OTTOBRE

Regionale veloce 2122
Carrozza 2 posto 64
Treno fermo

Mi piaceva quando davanti a casa tua mi dicevi "puoi entrare" perché voleva dire che qualcun altro non poteva. Non mi piaceva quando mi dicevi "puoi andare" perché voleva dire che qualcun altro poteva restare.

IO NON SONO UNO SBAGLIO

"Non riesci a dormire?"

A parlare è il signore seduto di fronte a me. Un uomo robusto sulla cinquantina, con qualche capello bianco. Porta un paio di occhiali che ogni tanto pulisce con l'angolo della camicia.

Annuisco, non ho voglia di parlare, vorrei che la conversazione finisse qui.

"E come mai? Non sono poi così scomodi questi sedili" sorride, borbotta qualcos'altro e si mette dritto. Tiene le gambe divaricate.

"Ho sonno, ma non riesco a dormire sui treni" spiego.

Accenno una smorfia che dovrebbe essere un sorriso. Lui, invece, ha una risata gonfia e un accento meridionale.

L'orologio segna le sette e mezza del mattino, siamo gli unici a parlare e rischiamo di svegliare qualcuno.

Da fuori penetra un po' di luce che a tratti illumina il suo volto. Sembra una persona simpatica. Era già qui quando sono salito. Ogni tanto mi guarda negli occhi. Non sostengo mai il suo sguardo. Riesce a mettermi in imbarazzo.

"Ti capisco" dice.

Io annuisco di nuovo.

"Non sei di molte parole. Scusami se disturbo, è che

manca poco a Milano e sono emozionato perché vedrò mia figlia. Hai presente quando sei felice e vuoi dirlo a qualcuno? Ecco. Sono mesi che non la vedo ed è una vita che non vado a Milano. Avevo ventiquattro anni l'ultima volta che ci sono stato. Ero partito in macchina da Salerno con mio fratello e un suo amico. Sognavamo uno stipendio garantito e un bilocale in Porta Venezia. Erano altri tempi, c'era ancora concesso sognare. Nonostante fossero gli anni degli attentati e di Craxi, si respirava comunque un'aria diversa. Avevamo appena vinto il mondiale e ci sentivamo invincibili. Siamo partiti non tanto per trovare un'occupazione. L'obbiettivo era fare un'esperienza che poi avremmo raccontato ai nostri figli. Gli anni Ottanta non erano lo schifo che c'è adesso. Tu manco sai chi è Pertini, sei troppo giovane e poi oggi a scuola non imparate più nulla."

Sorride.

Sorrido anche io questa volta, mostrando i denti.

Spesso ho pensato di essere nato troppo tardi. Di essermi perso gli anni migliori insieme agli uomini migliori. Nascere nel '66 per avere diciotto anni nell'84. Essere nel pieno dell'adolescenza quando John Lennon se ne va e capire qualche anno dopo che invece è rimasto. Gli anni degli Slash e dei Queen. Quando il progresso era la caduta del muro e il mondo non rimpiangeva Tito. Le televisioni senza filtri. Avrei voluto avere quindici anni quando alla radio De André ci regalava *Una storia sbagliata* e Battisti, insieme a Mogol, canzoni piene di vita.

Gli anni in cui le poesie s'imparavano a memoria alle elementari, per crescere un po' poeti.

Epoche lontane.

Quando bisognava incontrarsi per vedere di che colore erano gli occhi.

Quando bisognava scrivere lettere per essere capiti, amati. Quando le bombe nelle stazioni non annebbiavano la voglia di partire per essere liberi e le idee rivoluzionarie nascevano in piazza e nelle università.

Quando ancora non si sapeva che il futuro ci avrebbe portato a oggi, a questo mondo che nessuno prova più a cambiare.

"Io sono Enrico, piacere. Comunque so chi è Pertini, mio nonno parlava spesso di lui" rispondo con tono amichevole.

"Meno male! Maurizio, piacere mio. Come mai vai a Milano? Anche tu sogni un bilocale in Porta Venezia?"

Mentre lo dice, sbadiglia appoggiando una mano davanti alla bocca che poi porta sul ginocchio destro. È visibilmente stanco.

"No, io non ci vivrei mai a Milano. Troppo caotica. Non riesco a dormire in treno, pensa in una metropoli. Vado a Milano perché devo portare una cosa a un'amica. Poi torno a casa. Ho altro da fare."

Maurizio a tratti mi ricorda mio nonno, quando chiacchierava con tutti quelli che gli davano retta. Aveva il tono di voce così alto che non capivi mai se stava parlando o gridando. Mi accorgo che mi manca, che non pensarci non vuol dire non provare più nulla.

Non abbiamo ancora recuperato il ritardo, ma in fondo mi va bene così, quest'uomo non dice cose scontate.

"Cos'altro hai da fare, Enrico?" si è ricordato il mio nome. "Scusami se te lo chiedo, ma sembri un ragazzo impegnato, uno che fa mille cose e non ha mai tempo."

"Una vita" rispondo con tono scherzoso.

"Sei in viaggio per una storia d'amore?"

Dalla mia espressione capisce di aver indovinato.

"Lo era."

Annuisce.

Poi riprende a parlare.

IL MEGLIO CE L'AVEVI TRA LE MANI

"Io e mia moglie ci siamo sposati quando sono rientrato da Milano. Ero partito anche per lei. Sono tornato perché mi mancava. Le possibilità c'erano. Avevo trovato pure un lavoro. Ammetto che ero partito soprattutto perché non volevo vivere in una città dove i sogni muoiono e dove le persone vengono solo per farsi una vacanza. Dove il mare esiste solo d'estate. Dopo un po' che mi sono inserito a Milano, però, mi sono accorto che ero già felice. Non so chi, ma qualcuno mi aveva messo in testa che per essere liberi bastava cambiare casa, città. E poi mi sono trovato a fare un lungo viaggio, quando il meglio ce l'avevo già tra le mani. Spesso chi ci dice che si vive meglio all'estero, all'estero non c'è mai stato. Spesso chi dice che i soldi non fanno la felicità, i soldi non li ha mai avuti. Forse l'ultima cosa che ho detto è un po' fuori contesto, ma è per rendere l'idea. Ti sto dicendo questo perché tu in questo momento sei in viaggio. E se sei in viaggio, vuol dire che sei in cerca di qualcosa."

Fa una piccola pausa.

Io ascolto e basta.

Si tocca il taschino della camicia, tira fuori un Nokia nero vecchio modello, il display si illumina di un colore giallo verde.

Controlla se qualcuno gli ha scritto, lo rimette a posto e riprende a parlare.

Il treno è ripartito da pochi minuti. Credo ci siano ancora due, massimo tre fermate. Poi chiederò a qualcuno quanto manca.

"Comunque, mia moglie e io siamo stati insieme vent'anni. Melissa è nata subito dopo il matrimonio. Guardandoti, direi che siete coetanei, forse è poco più grande di te."

"Ho ventun anni" lo interrompo.

"Melissa ne ha venticinque. Lei già da piccola diceva che avrebbe voluto vivere al Nord dallo zio, mio fratello, che a differenza mia è rimasto in Porta Venezia. Si è sposato poco dopo di me. Sua moglie l'ha conosciuta sul lavoro. Quando gli comunicai che volevo tornare a Salerno, s'incazzò parecchio. Mi disse che non avevo le palle e che mi sarei pentito. Diceva che le relazioni sono come le cose che compriamo, che non sono fatte per durare. Che non era preoccupato, perché sapeva che sarei tornato. E invece non successe. Tornato a casa, trovai un impiego come falegname e qualche anno dopo aprii un mutuo per acquistare casa. Erano anni in cui le banche prestavano ancora qualche soldo. Sai? Noi uomini prima scegliamo seguendo le emozioni e poi giustifichiamo le nostre scelte a livello razionale. E ti assicuro che rifarei tutto da capo, non cambierei nulla. Quando mia figlia è partita, ci sono rimasto un po' male. Ma grazie a lei ho capito che non esiste felicità se non a discapito di altri. Quando sono partito io, mia moglie non era felice, io sì. E oggi tocca a me."

Mi racconta di sua moglie che si chiama Giovanna, che è rimasta a casa con la sorella che non si sente bene. Delle cose che rifarebbe comunque, di suo fratello e delle prime sbronze. Di sua figlia che per lui è bellissima e che io vorrei tanto vedere. Che qualche anno fa conveniva fare questi viaggi in macchina, perché la benzina costava meno e i treni ci mettevano intere giornate.

"Enrico, ma lei sa che sei in viaggio?" mi chiede.

"No" rispondo senza cambiare espressione, anche se questa domanda un po' mi spiazza.

"Ci siamo lasciati un anno fa e non ci siamo più sentiti. Chiunque al posto mio, dopo tutto questo tempo, starebbe meglio, ma io no. Non capisco. Non l'ho più cercata perché avevo e ho paura delle risposte. Sapere che non gli sono mancato o che le è mancato il coraggio di lasciarmi definitivamente quando stavamo insieme, non mi servirebbe a nulla..."

Mi interrompe prima che finisca la frase e con aria curiosa dice "e perché stai andando da lei allora?"

Sorrido. "Non lo so. So solo che ho bisogno che succeda qualcosa. Ho capito che certe cose preferisco saperle senza sbatterci contro. Non ho più voglia, anche solo per sbaglio, di chiedermi se gli manco. Voglio chiudere quella fetta del mio passato. Come spieghi a qualcuno che lo vuoi vicino, ma che allo stesso tempo per te è deleterio? Che è meglio che sia finita, lo so anche io. Stavamo insieme con lo scopo di trovare un terreno comune, ignorando che i compromessi minano l'autostima. Non è amore se ci si adatta, perché ci si annulla. Una persona deve volerti vicino anche con gli spigoli. Non mi sono quasi mai opposto, perché ho sempre creduto che saremmo diventati quel sentimento che tutti da ragazzi desiderano. Fatto solo di sguardi e intese. Dove le reciproche solitudini si consolidano e i difetti non sono per forza imperfezioni, vicoli ciechi. Quel sentimento dov'è possibile trasportare la fantasia nella vita. Ma non è stato così, la nostra è stata per mesi un'insana relazione macchinosa di due adolescenti convinti che l'amore fosse immune alle responsabilità. Maurizio, molto probabilmente tu lo sai meglio di me. Sai che non c'è corrispondenza tra gli elementi, quando si prova un sentimento forte. Quelli sono gli accordi, i patti. E questo dettaglio, noi, l'abbiamo perso per strada. Ti faccio un esempio, io certe cose non gliele dicevo perché avevo paura che si offendesse, e forse lei molte volte non ha avuto il coraggio di lasciarmi per lo stesso motivo. E così non andava bene, perché l'amore, almeno per me, è un gesto naturale. In parole povere, se hai voglia di mandarmi a fare in culo, fallo, nello stesso modo in cui sposti una mano quando ti scotti o nello stesso modo in cui sposti gli occhi quando senti il peso di uno sguardo, ma fallo. Va bene anche se ti sposti, ma fallo. Insomma, io non voglio più chiedermi se gli manco anche solo per sbaglio, perché io non sono uno sbaglio, perché io quando c'era non sono mancato mai."

Taccio, guardo un attimo fuori dal finestrino.

Sento di aver parlato più del dovuto.

Per qualche istante ci guardiamo senza dire nulla.

Molto probabilmente non si aspettava questa risposta, ma non sembra scocciato. Si toglie gli occhiali e li pulisce nuovamente utilizzando l'angolo della camicia.

Si accorge che ho voglia di parlare ancora. Ma evito, restiamo zitti per un po' e poi mi chiede "fumi?"

Annuisco.

Appoggia tutt'e due le mani sulle ginocchia e faticando un po' si mette in piedi.

Siamo a Piacenza.

Il sole picchia forte, ma è una bella sensazione. Prima di scendere, mi appoggia una mano sulla spalla e mi dice "non vivere così, te ne pentirai".

Non capisco cosa mi vuole dire, ma gli sorrido.

Voglio ringraziarlo per avermi ascoltato, ma non riesco. Per un po', nessuno dei due aggiunge altro.

Maurizio, a ogni boccata, socchiude gli occhi e guarda la sigaretta.

Milano è vicina, qualcuno parlando al telefono ha detto che è la prossima fermata.

A VOLTE I FIGLI SI FANNO
PER GIUSTIFICARE LE RELAZIONI

Persa mia madre, papà sembrava sforzarsi nel cercare le parole, ma s'interrompeva quasi sempre in mezzo ai discorsi che era lui stesso a iniziare, di solito in macchina. Li lasciava a metà e poi era come se si addormentasse con gli occhi aperti. Fissava la strada in silenzio, incredulo.

"Enrico, quando avevo la tua età, d'estate mi perdevo nei boschi insieme ai miei amici. Avevamo una casa in montagna e mia madre, la prima settimana di luglio, mi portava là, lontano dalla città. Lei diceva che lo faceva per me, per farmi respirare aria pulita, siccome avevo spesso la tosse secca. Io invece credo lo facesse più che altro per lei, per staccarsi un po' dalla sua famiglia che la vedeva solo come una donna di casa senza talenti. Quando invece tua nonna sapeva fare tantissime cose e soprattutto sorridere. In montagna mi ero fatto delle amicizie. Coetanei del posto che mi volevano bene, più che altro perché per loro avevo storie da raccontare, siccome venivo da lontano e questa cosa mi faceva sentire speciale. A loro raccontavo cose vere per metà, eventi al limite dell'impossibile. Che ero fidanzato, che giocavo nelle giovanili della Sampdoria e che a Genova, nel mio quartiere, mi conoscevano tutti, che eravamo benestanti e vivevamo ad Albaro in una villetta. Non era vero, noi stavamo in una casa che ci aveva dato il comune a Begato. Non avevamo nulla. Io fino a undici anni non sapevo di essere povero perché nel mio quartiere lo eravamo tutti. Dormivo in stanza con i miei genitori, in una casa senza spazi, dove i mobili coprivano crepe di muri troppo vecchi per viverci. In uno di quei quartieri dove la notte non c'è luce e le strade dalla finestra sembrano tutte uguali. Ho imparato da solo tutto quello che non t'insegnano a scuola. Nei libri non raccontavano di madri che piangevano perché l'istruzione costa. Non avevamo assistenza, odiavamo gli sbirri, giravamo in bicicletta con il pensiero fisso che eravamo al mondo per conquistarlo. Di pomeriggio non si andava in biblioteca, le cose ci venivano raccontate. Rubavo ai supermercati insieme ai miei amici. Lo facevo per dimostrare a me stesso che valevo qualcosa. Mio padre mi menava praticamente tutti i giorni. Quando ho conosciuto tua madre al liceo, dove lui mi aveva iscritto contro la mia volontà, molte cose sono cambiate. Lei faceva i compiti anche per me, mi ha convinto a studiare e a leggere durante gli intervalli delle partite allo stadio. E ai miei genitori tua madre piaceva tantissimo, mi chiedevano sempre quando sarebbe venuta a trovarmi a casa e di non fare cazzate perché una persona così capita solo una volta nella vita. Siamo cresciuti insieme nel vero senso della parola, io e lei. Perdonava tutti i miei errori e tutte le mie trasgressioni. Non le usava contro di me. Quando m'intestardivo in una discussione, diceva sempre 'sono vere anche le cose in cui non credi' e aveva ragione. Volevo vederla sempre, la volevo vicino anche quando giocava a fare la dura, quando si vergognava a mostrarsi gelosa. La volevo vicino anche se potevamo dormire insieme solo un'ora, quando invece volevamo fare l'amore per giorni, anche se si addormentava con il mio maglione e ci svegliavamo ognuno nella propria stanza."

Quella mattina in macchina, s'interruppe come tutte le altre volte, portando la sigaretta tra le labbra senza accenderla. Eravamo diretti da mia zia. Superati un paio di semafori, chiesi "e poi? Che è successo con mamma e i tuoi amici in montagna?".

Sapevo che quella domanda non avrebbe ricevuto risposta e che forse l'avrebbe infastidito. Perché per lui aprirsi era una fatica enorme, per questo lasciava a metà i discorsi, come se si pentisse.

Lui è sempre stato un uomo chiuso mentre io sono sempre stato un ragazzo curioso. Per questo ho sempre letto tantissimo, smontato giocattoli per vedere se dentro c'era vita ed esaurito mia madre a furia di domande.

Non chiedevo cose tipo "come si fanno i figli?" perché sapevo che l'avrei scoperto e capito col tempo.

Io domandavo a mia madre "perché si fanno i figli?" e lei mi rispondeva sempre solo con frasi di circostanza.

"Nella vita, le cose accadono" diceva fingendo un sorriso e io pensavo che non sempre le cose che accadono si vogliono.

Anzi, il più delle volte le cose che vogliamo non accadono. "Per un atto d'amore" aggiungeva e io mi chiedevo "nei confronti di chi?" perché mettere al mondo una vita che prima non c'era riempie solo la vita di chi lo fa.

Se nessuno mi avesse messo al mondo, io sicuramente avrei sofferto meno e mi sarei risparmiato tutti i "dovresti ringraziarmi" di mio padre ogni volta che litigavamo.

Credo che loro mi abbiano messo al mondo per sentirsi vivi.

Per non sentirsi da meno rispetto ai parenti.

Non sono d'accordo con tutti quelli che sostengono che i figli devono la vita ai loro genitori.

Perché ai figli nessuno ha chiesto nulla, hanno deciso i genitori, per risanare un rapporto, per il loro bene.

Sono i genitori a essere in debito con i figli, non il contrario.

Una sera, mia zia, con molta franchezza, mi rispose "a volte i figli si fanno per giustificare le relazioni".

Lei non ne aveva e mi chiedevo come facesse a saperlo, se era una cosa che sapevano tutti e non diceva nessuno o se era solo una frase per farmi stare zitto.

L'andavo spesso a trovare perché sapevo che le risposte che cercavo non le avrei trovate nei libri voluminosi che riempivano il salotto di casa mia.

Lei mi trattava come volevo essere trattato.

Era sempre sincera, non diceva mai "tuo padre è fatto così, ma ti vuole bene" diceva "lui ti vuole bene così, fattene una ragione".

Lo chiamava *lui*, perché non è mai stato un padre con me.

E lei, questo lo sapeva, si era accorta che per me quell'uomo era uno sconosciuto.

E che se piangevo non era perché mi mancava, ma perché mi mancava un padre.

Per anni ho invidiato chi un papà non ce l'ha e non l'ha mai visto, perché ha potuto dare forma con l'immaginazione a ciò che non ha mai avuto, pensare "magari sarebbe stato un buon padre".

Ognuno nasce senza qualcosa. Io sono nato senza chi mi ha voluto al mondo.

È stata mia madre a scegliere il mio nome.

Perché per lui un nome valeva l'altro, sapeva che comunque non mi avrebbe chiamato mai.

"Un giorno lo ringrazierai di essere cresciuto senza di lui" mi disse così mamma la sera del mio undicesimo compleanno, prima che andassi a dormire.

E mi fidavo, perché mia madre mi ha messo al mondo. Mio padre mi ha insegnato a camminare. Mia madre come si sta in piedi. Mio padre che il sangue mente e che non basta mettere al mondo un figlio per essere un genitore.

In macchina, quella mattina, senza voltarsi, con la sigaretta spenta tra le labbra, mio padre ha risposto "e poi cos'è successo? È successo che sei nato tu, il resto lo sai".

2 OTTOBRE

Regionale veloce 2122
Carrozza 2 posto 64
Prossima fermata: Milano

"Cos'è l'amore?" è stata la domanda.

"L'amore è una scatola di biscotti al burro. Hai presente quei biscotti che sono dentro a quelle scatole di metallo blu? Che quando le vedi in salotto pensi 'biscotti', però quando apri la scatola trovi le spille e i bottoni? Ecco per me l'amore è questo, ti aspetti una cosa e trovi tutt'altro" è stata la risposta.

BUONA FORTUNA ENRICO

Mia zia mi ha inviato un messaggio, invece.

"Quando arrivi scrivimi qualcosa. Fai il bravo."

L'orologio segna le 9.25. Abbiamo recuperato il ritardo. Sarò a Milano tra cinque minuti.

Finisco di leggere il messaggio e, quando alzo lo sguardo, Maurizio mi sorride in segno di saluto.

Dice "buona fortuna Enrico".

Prende le sue cose ed esce dallo scompartimento. Tiene la giacca appesa sull'avambraccio. Vedrà finalmente sua figlia.

Il treno rallenta. Una voce registrata annuncia che siamo arrivati a Milano Centrale e che non bisogna aprire le porte prima che il treno si fermi.

I corridoi si liberano. Nascono rumori che prima non c'erano: le zip delle valigie che si chiudono, le porte degli scompartimenti che sbattono, bambini che si svegliano, persone al cellulare che avvertono qualcuno dicendo che sono arrivate.

A quest'ora dormirai sicuramente. Non sei una che resta a casa il sabato sera. Ti sei trasferita proprio perché soffocavi.

Il treno si ferma. Le porte si sbloccano e le persone iniziano a scendere una alla volta come formiche. Una voce elettronica dice "Milano Centrale".

La figlia di Maurizio è molto bella. È sul binario ad aspettarlo.

Ho prenotato un albergo vicino alla stazione. Dormirò un paio d'ore, farò un giro per la città a poi stasera verrò a portarti il motivo per cui sono qui.

"Sono appena arrivato e sto bene, poi faccio qualche foto e te la mando. So che ti piace Milano, ma non ci vieni a vivere perché ti senti vecchia. P.S. Anche io sto bene."

Da quando ho messo piede a Milano, la sensazione che sto per fare una cazzata è aumentata.

Appena arrivato in albergo, lascio la carta d'identità alla reception. Mi danno una scheda che dovrebbe essere una chiave e mi dirigo verso la mia camera al terzo piano.

Apro la porta, un letto matrimoniale riempie quasi tutta la stanza che è piccola e spoglia. Mi sdraio lasciando cadere lo zaino a terra.

Di colpo sento la stanchezza e il bisogno di dormire. Prima di chiudere gli occhi, mi dico "a tra un po', Ire".

FORSE NON CI SONO NEMMENO IO

Ho sognato che morivi.

Ho sognato che eri in macchina con amici.

Tu eri seduta dietro, sul lato destro.

Il ragazzo alla guida non l'avevo mai visto prima, tu guardavi fuori e non ascoltavi, tenevi stretta la borsa sulle ginocchia, avevi un'espressione cupa, mentre gli altri parlavano concitati, facevano la lista dei conoscenti laureati che si erano trasferiti all'estero.

Berlino e Sydney.

Qualcuno rideva.

In macchina nessuno si era accorto che forse tu volevi solo andare a casa, perché, quando avevi quella faccia, volevi stare da sola e Giulio, il tuo amico alla guida, non lo sapeva.

So il suo nome, perché qualcuno poi l'ha ripetuto più volte, qualcuno l'ha urlato, anche tu l'hai fatto, se non ricordo male.

Perché poi non lo so cos'è successo, ma c'erano solo i resti di un incidente stradale, accompagnati da voci impaurite.

E tu non c'eri più.

E ti ho pure allungato la vita.

Apro gli occhi.

La stanza è buia. Devo aver dormito tutto il giorno.

Ho i vestiti addosso, mi devo cambiare. Sono sdraiato a pancia in su con le braccia distese.

Filtra una luce gialla dalla finestra del bagno. Ho lo sguardo perso, appiccicato al soffitto.

Penso che questo albergo è stranamente silenzioso, è come se non ci fosse nessuno in tutte le stanze vicine. Che forse non ci sono nemmeno io.

Se morissi in quest'istante, per un po' non sarebbe morto nessuno. Nemmeno per te.

Devo farmi una doccia e andare, sto perdendo troppo tempo in cazzate. Se faccio tardi, potrei non trovarti a casa.

Questa è la città degli aperitivi. C'era scritto qualcosa del genere su un'insegna che pubblicizzava alcolici in Stazione Centrale. E tu avrai sicuramente preso un aperitivo da qualche parte, ieri sera, perché tu gli inviti non te li fai scappare.

Parlo come se ti conoscessi e invece è passato un anno.

Parlo come se tu, senza di me, non potessi fare.

Ho finito pure le sigarette. In verità me n'è rimasta una, che mi fumerò appena sarò fuori di qui.

L'odore degli asciugamani degli alberghi non mi piace proprio. Un odore di pelle che ti rimane addosso. Rientro in camera con il viso bagnato e mi asciugo la faccia con una maglietta che non userò più. Domani a quest'ora sarò a casa.

Penso che se tu fossi stata qui mi avresti rimproverato, mi avresti detto che dovevo portarmi da casa l'asciugamano e io, per evitare discussioni, avrei sorriso per darti ragione.

Mi ero convinto che sorridendoti avrei potuto cancellare tutti i tuoi dubbi, le tue incertezze, le guerre con il tuo corpo. Ma io non avevo sorrisi così grandi.

Che se tu avessi avuto occhi azzurri, dentro forse avresti avuto il cielo, ma tu hai gli occhi neri, profondi.

Ma tu, dopo che sorridi, la senti la mia mancanza?

192

Quando sorridi con lui come facevi con me, cosa provi?

Ci pensi mai ai nostri sguardi nascosti, alle volte che ci siamo regalati un sorriso immotivato?

Per me sei come quando sento il mio nome e mi volto.

Quando ti guardavo, pensavo "qualcosa è accaduto".

È come se dentro di me ci fosse una lista di persone, situazioni e ricordi su cui il mio pensiero per forza di cose si posa, più o meno a lungo, almeno una volta al giorno.

E io, ogni giorno, ogni volta che prendo il telefono, penso a quando sbagliavo il codice a quattro cifre che bloccava il tuo iPhone e tu ti infastidivi perché secondo te non mi ricordavo mai nulla. Io replicavo che la colpa era tua che eri troppo complicata, e tu giocavi a non rivolgermi più la parola.

Mio padre dice che quando si scherza c'è sempre un fondo di verità.

Non fa freddo. A Milano a ottobre è ancora estate.

"Scusi, per la metro verde?" chiedo. Mi risponde un ragazzo che avrà la mia età "Entri dentro alla stazione, la trovi lì, non ti puoi sbagliare".

"Io dovrei andare a Lambrate" ne approfitto.

"Prendi direzione Gessate."

Decido che mi accenderò la sigaretta appena arrivo a Lambrate, per rilassarmi.

Sono teso.

Per i miei standard sono vestito bene, tu te ne accorgerai, poi mi guarderai e indicando la busta chiederai "cos'è?".

Penso ancora come se ti conoscessi.

Su queste metro affollate di vicinanze che non richiedono coraggio, noi non ci siamo mai stati. Nemmeno quando siamo venuti a vedere i The Kooks perché eravamo in macchina. La macchina non ti permette di vivere le città, la metro sì.

Sulla metro ci sei dentro a una città, negli organi vitali.

Mi piace fare il turista, perché le persone di solito sono gentili con te. Una ragazza mi ha detto che mancano due fermate.

Il tempo passa e io nemmeno me ne accorgo. A forza di stare con questo telefono in mano, la testa non la alzo più.

Penso che tra qualche anno, forse, sarò soffocato talmente tanto dalla tecnologia che ti scriverò per ore, anche se abiteremo a pochi minuti. E già oggi, se non ci fosse più Facebook, perderei la metà dei miei ricordi, delle mie amicizie e più della metà delle nostre discussioni.

Non ci ritroveremo più a discutere del passato, della guerra, di quella storia che non è solo nostra ma è la nostra storia. I bar diverranno applicazioni dove ci si potrà incontrare, e le sensazioni saranno senza azioni.

E sarà il 1984 di Orwell.

E un po' ho paura.

A volte vorrei andarmene, ma sono schiavo delle convenzioni, schiavo del telegiornale che mi ricorda che le guerre sono ancora lontane da casa mia.

A volte vorrei che qualcuno si innamorasse di me, con il mento appoggiato sulle mani, senza che io dica niente. Che si devono fare così tante cose per sopravvivere che vivere non so più com'è.

Per le volte che ho creduto che l'amore fosse come la Salerno-Reggio Calabria, dove non è possibile costruire una terza corsia.

Un po' di tempo fa, ho letto che le dimensioni dello stomaco variano in base alle quantità di cibo che riceve. E ho pensato che forse il cuore agisce allo stesso modo, che fa la stessa cosa con le emozioni.

Che ci sono tanti cuori, magri come nel dopoguerra.

Che forse non capiremo mai, nelle nostre camere in affitto per universitari, illuminate dagli schermi dei nostri portatili, che essere single e stare da soli non è una figata. Che una figata è tenersi per mano per tutta la vita.

ERI UNA PACE VIOLENTA

Lambrate è poco illuminata.

Tu abiti qui.

La notte è silenziosa qui.

Chissà quante volte avrai guardato questa rotonda e aspettato questi autobus.

Tu che amavi così tanto camminare, sicuramente sarai scesa a compromessi per esplorare questa città troppo grande anche per te.

C'è poca gente in giro.

Fumo, mi trema la mano.

Sono teso.

Penso a tutto per cercare di non pensarti, ma tu sei tutto e in tutto.

Prendo il telefono dalla tasca.

Scrivo a tua sorella "sono qui, poi ti dico" e intanto rileggo il suo messaggio: "Arrivi a Milano Centrale, prendi la metro verde, scendi alla fermata Lambrate, da lì a casa sono cinque minuti a piedi, stammi bene e buona fortuna. P.S. Tienimi aggiornata".

Ogni passo pesa.

Ho paura, come chi va in guerra da solo.

Il cuore corre, io cammino piano.

"Lei è a casa, le ho appena scritto. Buona fortuna Enrico. P.S. Manuel non c'è."

In pochi mi chiamano Enrico. Tu mi chiamavi "ehi", "mi ascolti?", "vieni qui".

Io ti chiamavo Ire oppure Pace, in base ai momenti.

erI una pace violenta.

Chissà com'è arredata casa tua, se c'è qualcosa di mio che dici che è tuo e lo sai solo tu. Qualcosa che ti ricorda il mio nome.

Sono in ansia, come la prima volta che abbiamo fatto l'amore.

Mi tratterai allo stesso modo quando mi vedrai?

Io ti dicevo in continuazione "stai tranquilla, se vuoi mi fermo".

Tu no, tu non mi tratterrai.

27.

Questo è il tuo palazzo. Faccio un passo indietro, socchiudo gli occhi e cerco di capire quale potrebbe essere la tua finestra.

Se sei sola.

Ma da qui è impossibile capirlo.

Suono un citofono a caso.

"Chi è?"

"Scusi ho scordato le chiavi potrebbe aprirmi?"

Quando scordavo le chiavi da piccolo, lo facevo sempre. I miei vicini di casa ormai avevano capito che ero io, perché ero l'unico del palazzo con quella voce così giovane e che dimenticava le chiavi così spesso. Di notte, addirittura qualcuno lasciava la porta aperta per non essere disturbato. Papà la sera dopo cena non c'era quasi mai perché usciva, e mamma, se la disturbavo, poi per giorni mi rimproverava. Lei era una che le cose te le ripeteva anche cento volte. E pur di non sentirla ci sono state volte che ho dormito fuori dal portone.

Il portone scatta.

Hanno esitato un po', prima di aprire.

Salgo le scale, mi fermo a ogni porta e controllo il nome sulla targhetta, senza accendere la luce.

Secondo piano.

Vitale.

Tu abiti qui.

Premo il campanello senza pensarci, perché ho paura di tornare indietro.

"Perché suoni? Non hai preso le chiavi?"

Le tue parole attraversano la porta blindata. La tua voce mi è così famigliare che vorrei risponderti "no! Le ho lasciate a casa".

Ma non parli con me. Io non sono nemmeno più un'idea.

Apri.

Hai un'espressione sconcertata. Tieni gli occhi fissi su di me e io non so dove guardare.

Sei appoggiata alla porta e la socchiudi un po', come se fosse uno scudo.

Per un po' nessuno dice niente. È un silenzio che avevo previsto.

Porti al collo delle grandi cuffie. Cosa stavi ascoltando?

Hai capelli più corti che ti finiscono lo stesso sugli occhi. Sei dimagrita.

Ti accorgi che guardo il tuo corpo e ti fai vedere il meno possibile. Ora intravedo solo un ginocchio.

Finalmente hai trovato un posto dove nessuno ti dice quanto devi mangiare. Dove nessuno ti chiede perché ti chiudi in bagno.

Ma lui ti guarda?

Non nota che perdi le foglie?

È come se dentro di te fosse autunno.

Hai una maglia che ti arriva sotto le ginocchia.

Mani piccole.

Avevi progetti grandi.

Così bella che ti vorrei solo per me.

"Mi spieghi che ci fai qui?" dici con sufficienza. "Non sperare che ti faccia entrare."

Credevo che mi avresti chiuso la porta in faccia e invece sei ancora qui, mi guardi in attesa che dica qualcosa, che ti dia un motivo per farlo.

"Non voglio entrare" rispondo con qualche ferita addosso.

Sospiri con aria di sfida.

"E allora che sei venuto a fare?" Alzi il tono quanto basta per tenermi lontano e non disturbare i vicini.

Per te la vita è sempre stata così: o dentro o fuori, sì o no, bianco o nero, o di sinistra o di destra. Non esistono mezze misure, per te.

La suoneria del tuo cellulare copre i nostri brevi silenzi, come in passato.

Per un attimo, non è cambiato niente.

Ti stanno scrivendo su WhatsApp.

"Non serve che alzi la voce, ti ho semplicemente portato una cosa, ora me ne vado."

Abbassi gli occhi e li allontani.

Chissà a cosa stai pensando.

"Ire, non è un regalo, so che convivi con lui."

Non lo so dire il suo nome.

Annuisci.

"Va bene" dici in fretta, come a voler cambiare discorso.

Ti allungo la busta.

La prendi.

Le nostre mani si sfiorano.

Tu eviti il contatto.

"Che cos'è?" chiedi e spalanchi un po' gli occhi.

Ti sposti i capelli dietro l'orecchio e la porta non ti fa più da scudo, perché hai le mani occupate. Sei davvero dimagrita, ma che io ti guardi non t'importa più.

"Se ti va, leggi" dico e mi volto verso le scale per andarmene, ma la tua voce mi segue.

"Aspetta... come stai?"

Io sto che giro intorno alle cose e non arrivo mai al punto. Sto che vorrei un po' di libertà e trovo solo confusione.

Sto che non ha un senso come sto, perché vorrei assistere ai tuoi successi, solo per rivederti.

Perché andare a dormire da soli non vuol dire essere liberi, lo dice la frase stessa cosa vuol dire.

Perché mi è giunta voce che sorridi spesso.

Sto che Gianluca un po' si è ripreso e posso ambire a una vita normale, anche se le cose normali mi hanno sempre fatto schifo, a parte i film di Castellitto che ti piacevano tanto, insieme ai libri della moglie, che definivi "tradizionali".

Sto che tanto le cose accadono e lascio fare, che non voglio stare e che mi piacerebbe essere, per qualcuno.

Per te, possibilmente.

Mi volto e rispondo senza guardarti "sto bene, tu?".

"Mi fa piacere... Io invece non lo so come sto" rispondi sincera.

Alzo lo sguardo e tu sposti di nuovo gli occhi.

Eviti ogni tipo di contatto.

Non so dove guardare.

I miei occhi non si posano da nessuna parte.

Com'è che ogni gesto che faccio per te si tramuta in un gesto d'amore?

"Perché non lo sai?" chiedo.

Voglio saperlo perché è questo il motivo per cui sono qui.

"Sono fuggita per lasciarmi alle spalle il passato e invece me lo trovo sempre davanti, non so come sto. È un periodo in cui mi sento inutile. E poi non è da te fare una cosa simile."

Parli come se mi conoscessi.

Come se la sintassi della mia esistenza fosse solo quello che ho fatto per te.

Mi chiami *"Passato"*.

"Meglio sentirsi inutili che sentirsi usati. Comunque a guardarti ti trovo cambiata" dico.

"Io ti trovo bene" rispondi con voce convinta.

Mi trovi bene, e com'è che mi manchi?

Per un po' mi guardi.

"Posso dirti una cosa?" chiedi e non mi lasci rispondere di sì. "A volte ti penso e forse a volte ti amo ancora."

Sorrido a metà e vorrei abbracciarti, ma tu sei un muro di ghiaccio, mi fai vedere cosa c'è dall'altra parte, ma non mi fai passare.

"Comunque grazie" dici e mi mostri un sorriso neutro.

"Non è un regalo, sono semplicemente cose che devi sapere. E comunque io invece a volte non ti penso, a volte non ti amo. Ciao, Pace."

"Ciao" rispondi, senza aggiungere altro.

Mi saluti con la mano. Quella mano che vorrei stringere, come quando il nostro sudore si mischiava.

Riprendi in mano lo scudo. Chiudi la porta mentre il tuo sguardo devia per un istante. Io scivolo nel buio, tu riprendi a vivere la tua vita. Io la metro.

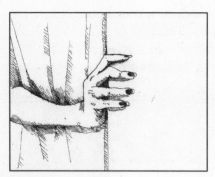

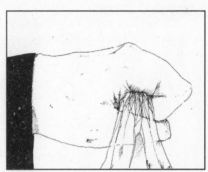

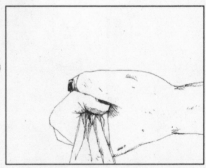
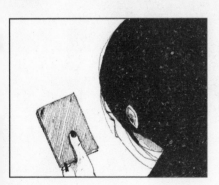

MANCHI DI PIÙ A ME

L'orologio segna le ventidue e ventidue.

Esprimo un desiderio.

M'incammino verso la metro. Cerco le sigarette e mi ricordo che le ho finite. Faccio qualche passo e lo incrocio.

Manuel.

È dall'altra parte della strada, sta tornando a casa. Guarda davanti a sé. Ha le cuffie, ascolta musica e tiene un passo sostenuto.

Forse gli manchi.

Manchi di più a me.

Quando rientrerà a casa, glielo dirai che sono passato? Oppure lo terrai per te, come con le cose che dici che sono tue ma sono mie e lo sai solo tu?

Mi appoggio al muro, lo osservo e so che io non sarò mai così. Mi siedo per terra, con la schiena appoggiata alla parete e le gambe incrociate.

Il cielo mi accarezza la testa. Prendo l'mp3 dalla tasca, mi metto le cuffie.

Luigi Tenco, *Se stasera sono qui*.

Lo guardo per un altro istante mentre cerca le chiavi per aprire il portone. Mi volto verso la fine della strada e scoppio in un pianto rumoroso.

Un pianto che non ha più voglia di tenere tutto dentro.

Sono triste, non sono arrabbiato.

Penso che potrei dormire qui stanotte, per dormirti vicino, ma non ne ho il coraggio.

Già so che non ti rivedrò più.

Il cellulare vibra. Mi è arrivato un messaggio. È di mia zia.

"Non mi sento vecchia, io sono vecchia. La prossima volta vengo anche io. E comunque ho appena letto una frase di Tolstoj che voglio condividere con te, 'Se vuoi essere felice, comincia'. Salutami Irene, fai il bravo Enrico."

PRIMA O POI CI ABBRACCEREMO

Ho deciso che vengo a trovarti, parto il 2 ottobre.

Chissà se ti ricordi cos'è per noi quella data. Tre anni fa, il concerto all'aperto di De Gregori che venne annullato per la pioggia, te lo ricordi? Che noi restammo a Bologna lo stesso, mentre tutti fuggivano impauriti dall'acqua che veniva giù sempre più forte. Impreparati e fradici, in giro per la città tutto il giorno, senza un programma, come quando ti siedi su una panchina e passa un intero pomeriggio.

Fu una delle poche volte che non discutemmo. Eravamo baci pieni di lingua e mani che si tenevano strette. Sotto i portici cantavamo a squarciagola versi di canzoni che in realtà non conoscevamo. Parole inventate e dette a metà.

I tuoi sorrisi pieni che mi chiedevano di non lasciarti sola. "Dài, canta" dicevi quando mi fermavo per l'imbarazzo.

In giro non c'era quasi nessuno. Nessuno che avremmo rivisto. "Ma ti amo, ti amo, ti amo" urlavi contro il cielo a occhi chiusi.

"Lo so, è antico, ma..." smisi di cantare per un attimo, ti voltasti verso di me e dicesti con espressione seria "ti amo".

"Cosa?" chiesi. Mi avevi preso in contropiede.

"Hai sentito benissimo" rispondesti e iniziasti a correre, portandomi con te.

Salimmo sul treno delle 22.06 che era anche l'ultimo per casa.

Prima di addormentarmi ti dissi "tu sei come me".

"E tu come sei? Cioè, io come sono?" rispondesti con un filo di voce.

"Tu, cioè io, sei come i cancelli automatici, quelli altissimi, che si aprono solo se hai il telecomando e che però restano aperti se ci stai vicino. Come le porte degli ascensori che non si chiudono se ci si sta in mezzo, a volte basta una mano. Quelle che quando si chiudono però non le apri facilmente e se sei dentro ci resti. Ecco, io sono così. E comunque 'ma ti amo, ti amo, ti amo anche io'."

Quando mi voltai verso di te, stavi già dormendo. Ero arrivato tardi anche questa volta. Guardandoti, mi venne in mente che non avevamo comprato i biglietti. E restai sveglio per tutto il viaggio a proteggerti dal controllore.

Arrivati in stazione, venne mio padre a prenderci, continuavi a tenermi per mano anche in sua presenza, quando di solito non lo facevi mai perché ti vergognavi. Ti portammo a casa, perché tua madre ti stava aspettando, era arrabbiata perché avevi fatto tardi e non rispondevi al telefono.

Prima di scendere dalla macchina, dicesti "sappi che ho sentito tutto, Enri, grazie" e salutasti mio padre con un bacio leggero sulla guancia.

Non lo sai e forse non lo immagini nemmeno ma papà ora esce con un'altra donna. Non so chi sia, non l'ho mai vista. Non è ancora salita a casa, in mia presenza. Dico "in mia presenza" perché quando ho detto a papà che mollavo il lavoro, c'è rimasto male al punto che voleva trovarmene lui un altro. Quindi ho capito che quando non ci sono, loro ne approfittano per stare in casa. Quando viene, parcheggia qui sotto, suona il clacson come se non esistessero i citofoni e papà di punto in bianco cambia espressione, salta giù dal divano e mi saluta come un padre fa con un figlio, posandomi una mano sulla testa senza alcun imbarazzo. A volte mi dà pacche affettuose sulle spalle. A volte non torna. Sta via anche due giorni. Non lo aspetto. Non sono mamma, io. Rientro

*a casa dalla biblioteca e lo trovo in cucina, spensierato e fe-
lice, che si scusa con me per la lunga assenza, mettendo in
ballo strani imprevisti e il troppo lavoro. Spesso cambio discorso per uscire da situazioni imbarazzanti. Poi fugge. È
più forte di lui.*

*Una sera, mi ha raccontato che mamma al liceo aveva
un'intelligenza superiore alla media e che voleva fare giurisprudenza, ma che poi aveva cambiato idea perché era rimasta incinta. "Voleva dedicarti del tempo" disse così, con
tono gentile.*

*Qualche tempo fa mi ha chiesto se ho intenzione di ripren-
dere a studiare e se mi sono iscritto in facoltà. Gli ho risposto
di sì. Poi, senza pensarci, gli ho raccontato che ho intenzione
di venire a trovarti. Non gli ho detto che ci siamo lasciati,
ma credo l'abbia intuito. Sono mesi che non ti vede e non
parlo mai di te. Mi ha raccontato di quando lui e mamma si
erano lasciati ai tempi del liceo, perché discutevano spesso e
lui era poco serio.*

*"Tua madre e io non ci sopportavamo, nei corridoi di-
scutevamo davanti a tutta la scuola e lei rientrava in classe
quasi sempre in lacrime. Io facevo lo scemo con tutte e lei
lo veniva a sapere tramite le sue amiche. A scuola, anzi che
dico, in città non c'era una ragazza più bella di tua madre
e per tutti io ero il ragazzo di Alda Magnani. Non avevo
un nome. Ero solo quello che la faceva piangere, lo stronzo con gli occhi chiari che l'aveva fatta innamorare e non
la meritava. Mi lasciò ad aprile dell'ultimo anno di scuola.
In quei giorni pensai a lei sempre, ogni istante. Ma lei non
voleva saperne più nulla. Diceva ai miei amici mandati da
me che mi aveva dimenticato e non voleva stare male più.
Finita la scuola, gli esami e gli orali, partì per Maiori in
vacanza con la famiglia. Giocavo a calcio tutti i giorni per
non pensarci.*

*Bevevo. Un giorno, era metà luglio, trovai una lettera sul
letto, lasciata da qualcuno che l'aveva trovata nella cassetta
della posta. Di solito era tua nonna che distribuiva le lettere*

per la casa, la mattina presto. A me non scriveva mai nessuno e quindi rimasi sorpreso. Riconobbi subito la calligrafia. Era tua madre. Su un foglio a righe, strappato forse da un quaderno, mi scrisse "sono incinta" al centro della pagina e nient'altro. Il giorno dopo, partii per Maiori in treno e arrivai che lei mi stava aspettando, lo capii perché era affacciata alla finestra e guardava lontano.

E da lì ritornammo insieme. Questa è una delle tante cose che non sai. Comunque, se vai, fallo per essere felice, senza rimorsi. Ti dirò, a me tua madre non mi manca più, mi manca tanto, però, com'ero quando stavo con lei."

Sono felice che mio padre abbia quegli occhi quando parla di mamma, sono felice che abbia trovato il coraggio di rimettersi in gioco con un'altra donna senza nasconderli. Non sempre è facile. Anche se il bisogno di sentirsi importanti per qualcuno, spesso è l'unica cosa che vogliamo. So già che sarà il padre che ho sempre desiderato con la sua nuova famiglia, che quando lei resterà incinta, i suoi occhi perderanno quella luce che ha ancora il nome di mia madre. Ma so anche che quel giorno ci sarò anche io alle sue spalle, e sarò felice per lui, per quell'uomo che non ho mai visto sorridere per nessun mio gesto. E chissà, forse quel giorno troverò anche il coraggio di chiedergli "Papà, mi vuoi bene?" senza il timore di conoscere la risposta. Che di risposte io nella mia vita non ne ho avute mai.

Quand'ero più piccolo mi dicevano sempre che col tempo avrei capito, che da grande sarebbe stato più facile risolvere ogni problema, ma poi ho scoperto che dopo la maggiore età si è tristi in modo assoluto, che si vive con la speranza che qualcuno ritorni o che non se ne vada o che uno sconosciuto all'improvviso risolva per te la tua vita incasinata. E lasciarsi è stato come quando si mettono gli occhiali per vedere meglio le cose. È stata forse l'unica risposta sincera che siamo riusciti a darci.

Come facevi a tirare fuori solo brividi? Quando facevamo l'amore ansimavi come se ti riuscisse difficile respirare. Sudavi silenziosa che il tuo corpo, quando lo baciavo, assumeva un sapore salato. I nostri progetti nascevano come scherzi. E ti dicevo sorridendo "guarda che ci andiamo davvero" e in camera mia la luce restava accesa fino a tardi, mentre organizzavo viaggi lontani.

Lasciavi il cellulare sulla scrivania e ti addormentavi. Lo schermo s'illuminava e quel numero che non avevi salvato ti scriveva cose dolci, frasi piene di aggettivi e di "spero di vederti presto". Ti eri scordata che conoscevo il PIN del tuo cellulare e che di notte dormivo poco perché tendevo a svegliarmi costantemente, abituato ai continui litigi dei miei genitori. Ti amavo, ma non te lo volevo dire più.

Avevi bisogno di qualcuno che non ero io. E forse la persona che non ero è meglio che resti la persona che non sarò mai. Perché non c'è cosa peggiore che avere la possibilità un giorno di cambiare per poi vederti andare da qualcuno che non sono io.

Prendevi il telefono, ti spostavi un po', in modo che non vedessi lo schermo e scrivevi messaggi brevi e i miei sguardi cambiavano senza che tu te ne accorgessi. Non ci credevi nemmeno tu alle spiegazioni che mi davi, quando dovevi andare via all'improvviso. Mi salutavi con un bacio sbrigativo e te ne andavi con la certezza che mi avresti trovato dove mi avevi lasciato.

E avevi ragione.

Io e Anna non ci sentivamo mai invece. C'incontravamo in vie secondarie, ci sfioravamo le guance per salutarci e finivamo in camera sua, in modo così crudo che poi trovavo una scusa per fuggire a casa e scriverti che mi ero addormentato di nuovo davanti alla tele. E non è che tu mi credevi, a te non importava. E pensavo ai nostri primi rapporti. Quando tremavi perché mettevo la mia testa tra le tue gambe e ti leccavo come leccavi il mio palato a ogni bacio.

Le mail che ti arrivavano di notte e le risposte che scrivevi mi tenevano sveglio.

"Ti avevo chiamata per dirti che sono arrivato, che Milano è proprio bella, che fa freddo ma non troppo e che mi secca sentirti poco. Stamattina pensavo che avrei potuto amarti se fossi arrivato prima. Spero di vederti presto. Manuel."

"Avresti potuto quando? Al passato? Potrai, al futuro caso mai. Non ti ho risposto perché ero sotto la doccia, scusami. Comunque immagina la mia voce quando ti scrivo le cose, così non avrai dubbi. A che ora sei libero che magari ti chiamo? Io invece pensavo che è troppo strano mancarsi e non appartenersi. Torna presto. Prima o poi ci abbracceremo. Irene."

"Prima o poi ci abbracceremo" concludevi tutte le mail con questa frase.

E per me era rassicurante perché significava che non vi eravate ancora visti. Lontani, per forze maggiori.

E ti chiederai "perché non me l'hai detto prima?".

Non te l'ho detto perché quando vi sentivate mi trattavi meglio. E può sembrare un'assurdità, ma io da te volevo questo. Non te l'ho detto perché non volevo che andassi da lui. Quando ti ho raccontato di Anna, mi aspettavo che mi parlassi di Manuel e invece mi sbagliavo. Pensavo sarebbe stata una cosa automatica, che tutto si sarebbe risolto raccontandoci la verità. E invece tu ne hai approfittato. Per te, il fatto che io ti avessi tradita era una questione di rivalsa morale. Una scusa per continuare quello che già stavi costruendo alle mie spalle.

"Prima o poi ci abbracceremo" scrivevi. E questa tra tutte è stata la cosa che mi ha ferito di più.

Quello che avevo fatto è stato prima di tutto un ripiego, un modo per ricominciare e lasciare le macerie alle spalle. E quando ti accorgevi che il cielo era un pretesto per guardare in su e non far scendere le lacrime, e mi chiedevi "cos'hai?", io ti rispondevo "non ho niente", ma in quella risposta c'era tutto e a te non importava.

Lo stronzo ero io, che ti aveva tradito in un momento di

debolezza. Lo stronzo ero io che ti avevo riempita di menzogne. Non sai quanto avrei voluto che ci fossimo amati in un modo più ordinato. Dove le storie finiscono perché non ci si ama più e non perché forse si ama un altro. Ho sperato che le vite che m'inventavo di notte fossero reali, quanto le cose che scrivevi a lui. E credimi, queste parole non le avrei mai scritte se tua sorella non mi avesse convinto a portarti qualcosa di me che ancora non conoscevi.

"Lei pensa di sapere tutto di te. Spiazzala, tu sei molto di più" ha detto e per una volta nella vita ho deciso di ascoltare qualcuno che non sono io.

E tu questo dolore non lo conosci. Le notti a pancia in giù con le mani sotto il cuscino senza dormire. I mezzogiorni senza mangiare. Le paranoie che poi impari a farti amiche. Le aspettative così grandi che finiscono per deluderti, per disintegrarti. Che finiscono e basta.

Siamo stati come i prodotti sugli scaffali destinati a diventare rifiuti. Costruzioni non terminate piene di scritte che nessuno leggerà. Alberghi che non ospitano nessuno, perché murati, per cacciare via i tossici che buttano le siringhe sulle spiagge.

I giornali in prima pagina scrivono che ci sono altre urgenze, ma per me il fatto che non potrò più orientarmi sulla mappa della tua pelle resta più importante di ogni guerra in Oriente che il popolo non vincerà.

Mancano le tue frasi che riempivano le mie giornate tutte uguali. E quando posso uso l'affetto degli altri per dimenticarti, ma poi smetto. Se puoi, proteggimi di abbracci. Se puoi, uccidimi, come quando mi toglievi il fiato. Questo posto comunque mi sconfiggerà.

Eri la mia prima persona plurale. Vivo aspettando la seconda persona singolare, mentre tutti tirano in ballo il tempo che guarisce le ferite. Mentre il tempo scorre lentamente e se ne frega di me.

"Non esiste separazione definitiva finché esiste il ricordo" ricordi? Ogni sguardo può essere il tuo finché ti cerco. Che ti ho amata così, non con i "per sempre" ma con i "finché". E finché soffro, ti amo per sempre. E la colpa è tutta mia che soffro con un'intensità superiore. Che misuro in emozioni e non in chilometri le distanze. Dovresti essere a quaranta minuti in macchina da qui e invece sei a quando chiudo gli occhi, a quando per fare vuoto tra i pensieri fisso un punto e inciampo su un libro che mi hai lasciato e tutto rincomincia da capo, tutto riprende da dove mi hai lasciato. Ricevere pochi messaggi durante la settimana e sperare che tu ti fossi ricordata di me, mentre a lui scrivevi che ti eri appena svegliata e non avevi voglia di uscire. Sapere che tarderai e attenderti senza alcuna sorpresa.

Il 2 ottobre, come i fiumi ci rincontreremo e saremo come gli ingressi che diventano uscite.

Sono queste le cose di me che non conosci.

E chissà se qualcosa sarebbe cambiato se avessi avuto più coraggio.

E chissà se avresti scelto me.

SEI MESI DOPO

Milano Lambrate
Ore 21.18
Sono in ritardo

Non ho mai voluto un amore che mi facesse sentire vivo perché quell'amore mi avrebbe ucciso. Ma poi sei arrivata tu.

FUMI SEMPRE LE STESSE SIGARETTE

Mi stai aspettando in piedi davanti al portone.

Vestita leggera. Fiduciosa che la primavera non tarderà quest'anno, come ho sempre fatto io. Ti tormenti il labbro inferiore con i denti.

Fumi ancora le stesse sigarette. Winston blu, che agiti con la mano mentre mi saluti.

Come l'ultima volta, guardo ancora i capelli che hai tagliato. Ti coprivano le orecchie, che non ricordavo così piccole.

Non mi vieni incontro, resti lì.

Tempo fa avremmo riso, mi avresti chiesto di muovermi accusandomi di essere sempre il solito.

Mi guardi e ora che sono più vicino accenni un sorriso gentile.

Provo una strana sensazione tra il collo e lo stomaco che non mi lascia in pace, mentre tu sembri così tranquilla.

Sai fingere benissimo, forse.

Questa volta sono qui perché mi hai chiamato tu. Mi hai chiesto di vederci e ti ho detto che sarei venuto io, siccome avevi gli esami.

A casa, se ci avessero visti insieme, poi le voci non avrebbero più smesso di urlare e qualcuno mi avrebbe scritto, chiedendomi se siamo tornati insieme.

Non so cosa mi vuoi dire, ma tocca a te parlare stavolta.

"Facciamo due passi?" dici, e la tua voce trema.

Getti la sigaretta e mi fai strada.

"Andiamo a comprare le sigarette e due birre in fondo alla via, ho fatto la spesa stamattina e a casa dovrebbe esserci tutto."

Là tua voce non trema più. Mi dici così, che mi farai salire di sopra e io non dico niente.

Ti guardo di nascosto ogni volta che ti distrai. E tu fingi di non accorgertene mentre penso che 'sta cosa che non mangi ti ha reso le ossa sporgenti.

Ma tu continui a parlare perché i miei sguardi forse un po' ti pesano e non vuoi che me ne accorga perché potrei dire qualcosa.

Cammini spedita e inizi a parlare.

"Sai che pensavo ti fossi scordato di Bologna, De Gregori, la pioggia e di quel 'ti amo' detto a tradimento? Avevamo fatto l'amore per la prima volta qualche settimana prima e io ero talmente ingenua che pensavo che per amare qualcuno bastasse quello. Che superato quell'ostacolo, poi non ce ne sarebbero stati più. Non era la prima volta che lo facevo con qualcuno. Prima di te, come sai, c'è stato Manuel, ma tu eri diverso e io ti amavo davvero.

Io, che ho sempre avuto difficoltà a restare, perché per me non aveva senso stare con una persona sola in un mondo così ampio, mi ero accorta che a un certo punto il mondo si era ridotto a una persona che aveva occhi solo per me. Ma è come se mi avessi ingannata, perché col passare del tempo non mi hai guardata più come quella volta. E tra le cose che non ti ho chiesto mai a voce, c'è anche uno di quegli sguardi.

In quel periodo tornavo a casa e mi chiedevo dove fossi finito, mentre tu pensavi solo a fumare e a parlare dei tuoi genitori, come se le mie battaglie fossero meno importanti. Rispettavo il tuo dolore mentre tu sminuivi il mio. Manuel l'ho incontrato una sera per caso, non l'ho riconosciuto subito, portava una sciarpa che gli copriva metà del viso. Mi ha accompagnato a casa e dopo una settimana mi ha scritto per chiedermi se stavo bene, siccome mi aveva vista un po' giù di morale.

Io e lui ci siamo rivisti solo quando mi hai lasciata. È vero che ci sentivamo, ma non ci siamo mai toccati finché esisteva il nostro rapporto. Non pensavo sapessi, ma se mi avessi detto qualcosa, credo che avrei smesso subito di scrivergli e invece no, l'unica volta che mi hai parlato davvero, è stata per dirmi che eri stato a letto con un'altra e che volevi essere perdonato. Lo pretendevi. Secondo te, come mi sono sentita io dopo quel giorno?

So che non sai come rispondermi, perché non ci hai mai pensato nemmeno una volta, si capisce da quello che hai scritto. La cosa più buffa è che quell'Enrico di Bologna, di De Gregori, di ottobre, l'ho rivisto qualche mese fa. Quando ti ho intravisto dietro quella porta ho pensato che tu fai sempre così. Torni quando mi convinco di averti dimenticato per ribadirmi che non è possibile. Torni a disfare il letto di certezze in cui mi addormento. Agisci sempre come se la colpa fosse mia, quando sarebbe bastato che in due anni tu ti fossi fermato anche solo una volta per chiedermi se andava tutto bene, invece di giustificare le mie assenze pensando 'è fatta così'. Un attimo. Aspettami qui, prendo le birre e torno."

Ti volti ed entri.

Quando chiudi la porta, ti giri e tieni gli occhi bassi.

Quella strana sensazione tra il collo e lo stomaco la sento più forte, da non riuscire a parlare.

Come se qualcosa dentro di me mi stesse strangolando.

Mi stringo nelle spalle.

Accendo una sigaretta.

Penso "sei un coglione".

Mi spazzi la schiena con la mano e dici "ma ti sporchi sempre tu?" e non mi ero accorto che eri già uscita dal negozio.

"Scusami" rispondo.

E mi guardi come a dire che non capisci a cosa mi riferisco.

Ci trattiamo come vecchi amici.

Mi tagli la strada e avvicini le tue spalle alle mie.

I silenzi vengono puntualmente coperti da battute ovvie che non fanno ridere nessuno dei due, ma ridiamo lo stesso.

Parliamo di cose passate che fingiamo di non ricordare e ricordiamo benissimo.

Sei bella, Irene, anche quando provi a essermi amica.

Il portone è aperto.

Fai di corsa le scale e mi dici che mi devo muovere.

Cerchi le chiavi nella borsa, che sorreggi con una gamba. Apri e ti lasci la porta aperta alle spalle, ti togli le scarpe e inviti anche me a farlo.

Appendi la borsa all'attaccapanni. Accendi la tele e la spegni subito.

Mi guardo intorno e cerco qualcosa di mio che però non c'è.

Vivi in un bilocale dove la cucina affaccia sul salotto e per andare in bagno bisogna attraversare la camera da letto.

Tieni tutte le finestre aperte per far passare l'aria e le porte ogni tanto sbattono.

"Siediti" mi dici e indichi il divano.

Apri una birra, la versi nel bicchiere. "Ne vuoi un po'?"

Rifiuto.

Strozzi la sigaretta sul posacenere che posi sul tavolo, l'avevi appena accesa. Mi guardi dritto negli occhi e vieni verso di me. Quando sei a un passo e sei praticamente in mezzo alla stanza, ti sollevi un po' la gonna, divarichi le gambe e ti siedi sulle mie ginocchia.

Non dici niente.

Non dico niente.

Respiri forte.

Posi le mie mani sui tuoi fianchi e ti tormenti il labbro inferiore.

Non abbassi mai lo sguardo.

Aspetti che faccia qualcosa, ma non riesco.

Divarico le gambe anche io al punto che senti la mia eccitazione e inizi a baciarmi dolcemente.

Apri leggermente le labbra.

Ti chiedo "dov'è Manuel?". Rispondi che è via. "Torna tra due giorni, abbiamo discusso, ultimamente non facciamo altro."

Mi fingo disinteressato.

Sei eccitata.

Ti alzo la maglia e hai ossa aguzze, sei scavata. Quando alzi le braccia, le costole prendono ancora più forma.

Con un gesto a me familiare ti slacci il reggiseno, ti tremano le gambe.

Non ti accorgi che ti guardo con curiosità in cerca di cambiamenti.

Ti bacio i seni, hai capezzoli duri.

Ti sdraio per terra e sotto la gonna non hai niente, inizio a baciarti in mezzo alle gambe.

Mi metti una mano sulla testa.

Vieni.

Quando riesci ad accogliermi tutto dentro di te, chiudi gli occhi e sussulti.

È tutto così strano, tu non mi ami, si capisce dall'intensità con cui mi baci che vuoi solo la mia carne e io non oppongo resistenza.

Emetti versi che non ricordavo.

Provi piacere.

Da fuori arrivano rumori che non riesco a mettere a tacere.

Ci addormenteremo stremati.

Su un lato, come dopo una dose di eroina, ma vicini.

E non mi basterà perché *vicini* è comunque una distanza.

Non dici niente.

Non dico niente.

Respiri forte.

E mi sta bene così.

Perché è quando parliamo che ci facciamo del male.

Hai i piedi freddi e ti suda la fronte.

Sposti i tuoi capelli morbidi.

Mi sei sopra.

Ti guardo come i soffitti.

Siamo così diversi noi due che, solo a vederci, nessuno direbbe che abbiamo condiviso una parte così importante delle nostre vite.

Tu bassa.

Io alto.

Tu Ligabue.

Io gli Oasis.

Tu odi il mare in generale.

Io quello della mia città.

Tu lo sapevi che sarebbe andata così.

Io ci speravo.

Tu mi manchi.

Io non sono ciò che manca alla tua vita.

Tu hai paura d'innamorarti di nuovo.

Io ho paura di non innamorarmi più.

Ti squilla il cellulare.

Non rispondi.

Questo momento è il nostro segreto.

CIAO IRENE

Dormi e non ti voglio svegliare, anche se ci siamo salutati e detti "addio" così tante volte che una in più non farebbe la differenza. E ora leggendomi penserai che ci ho preso gusto con questa cosa delle lettere, perché ormai ti dico le cose solo così. Ma questo foglio a righe attaccato al frigo con una calamita è un modo per dirti che domenica parto. Vado a New York da mia madre. Mio padre è d'accordo e lei mi aspetta.

Ti invierò una cartolina, promesso.

Questo foglio è un modo per dirti che averti rivista mi ha fatto capire tante cose. Ho capito che posso allontanarmi, che mi sono preso troppo tempo per stare male mentre tu vivevi la tua vita e facevi scelte. Io vado a farmi un'esperienza e non pensare che lo faccia per te, che parta solo perché avendoti vicina finirei per ricascarci.

È stato bello rivederti. Un po' ho pianto mentre dormivi, quindi cambia le federe dei cuscini. Ti guardavo, fottutamente bella come sempre, spoglia di menzogne e certezze, ma a differenza delle altre volte per me non eri nessun sentimento. E ho pensato a una frase di mia madre, che scrissi su una panchina di piazza Salara la sera che scoprii che eri partita per Milano: "Ama chi vuoi, ma non amare chi non ti vuole" e forse l'hai letta, perché d'estate, la sera dopo il mare, andavi là a fumare. Mamma aveva ragione e io l'ho capito solo adesso, dopo l'ennesimo tentativo.

E nonostante tutto, spero che avrai la fortuna di trovare l'uomo della tua vita. Spero anche io di trovare quella persona che quando le scrivo "è finita" mi risponde "ricominciamo?", che non mi aspetterà sotto casa, ma cambierà il mio punto di partenza.

Spero che troverai chi ti chiede "stai bene?" quando i tuoi sorrisi non sorridono. Chi scoppia in risate improvvise e felici. Chi vede in te un tappeto di sabbia dopo anni di mare aperto. Perché non c'è cosa più bella dell'ottimismo confuso e del sesso fatto con l'ambizione che si tramuti in amore.

Spero di trovare chi non sta con gli occhi sul cellulare per non guardarmi in faccia quando assecondo i miei istinti. Chi è più forte di me e me lo dimostra senza alzare la voce. Chi capisce il tono della mia voce da come scrivo. Chi resta anche quando non cambia niente. Spero di trovare chi mi vuole accanto per tutte le notti che mi è rimasto qualcosa, e mai qualcuno.

Perché né io per te, né tu per me siamo stati quella persona.
Stammi bene Pace.

Un abbraccio dall'Enrico, quello di De Gregori.

GIUGNO

New York
ore 15.53 (italiane)

13 GIUGNO 2015

Oggi che tutti usano le mail, mi è arrivata una lettera dall'Italia.

Ha un profumo familiare.

Una calligrafia che conosco.

Sono incinta

Irene

RINGRAZIAMENTI

Ringrazio le mie sorelle che mi sopportano.

I miei nipoti che quando scrivo mi chiedono se possono leggere.

Mio padre anche se non mi ascolta mai.

Mia madre che è via.

I miei amici cari che saranno al massimo quattro.

Chi mi ha donato un abbraccio e chi in questo periodo difficile della mia vita non mi ha fatto pesare le mie assenze.

Mondadori, il mio editor e i libri che ho letto nell'ultimo anno.

Antonio Riccardi per la possibilità che mi ha dato con quel biglietto da visita che tengo ancora.

Ringrazio chi è arrivato fino a qui, in fondo al libro e sta leggendo queste parole.

Spero di avere anche io un giorno una vita normale, dove i genitori restano insieme, dove posso amare chi voglio, dove i soldi non determinano nulla, dove non è mai troppo tardi.

INDICE

Mondadori Libri S.p.A.

Questo volume è stato stampato
presso ELCOGRAF S.p.A.
Stabilimento - Cles (TN)

Stampato in Italia - Printed in Italy